Linda Fromme
Julia Guess

Fit fürs Goethe-Zertifikat C2
Großes Deutsches Sprachdiplom

Hueber Verlag

Quellenverzeichnis

Seite 14–16: Lars Gaede: „Tipps vom Phantomschreiber“
Seite 20–21: © Sven Stockrahm: „Fledermäuse hören, wo der Nektar fließt“ für ZEIT ONLINE (www.zeit.de) vom 29.07.2011
Seite 23–25: Text aus Fluter, Ausgabe 39 – www.fluter.de
Seite 28: Text A © Jokers Bücher-Wiki, www.buecher-wiki.de
Seite 29: Text C © Förderverein für das Erich Kästner Museum / Literaturhaus Villa Augustin; Text D © Magistrat der Kreisstadt Limburg a. d. Lahn – Kulturamt
Seite 30: © erschienen bei chrismon Januar 2011
Seite 32: © erschienen bei chrismon Januar 2011
Seite 35–37: © Christiane Grefe: „Wundererde“ im Test, DIE ZEIT, 1.12.2011
Seite 39: Text A © Wrede! Sprechtraining; Text B © Theo Bühler, Wissenschaftsladen Bonn
Seite 40: © Theo Bühler, Wissenschaftsladen Bonn
Seite 65/CD1, Track 5: © www.br.de – eine Produktion des Bayerischen Rundfunks/B5 aktuell/In Lizenz der BRmedia Service GmbH
Seite 66: Thomas Weibel: „Copy and Paste“, aus der Sendereihe „100 Sekunden Wissen“, © SRF Schweizer Radio und Fernsehen
Seite 72: Jürgen Broschart: „Nun singet und seid klug“, GEOskop, (GEO 2/2011)
Seite 110: Text 4 © Christoph Drösser: „Stimmt's?: Verlogene Gesellschaft“, DIE ZEIT, 14.4.2011
Seite 111: Text 5 © www.br.de – eine Produktion des Bayerischen Rundfunks/B5 aktuell/In Lizenz der BRmedia Service GmbH; Text 6 © Thomas Weibel: „Copy and Paste“, aus der Sendereihe „100 Sekunden Wissen“, © SRF Schweizer Radio und Fernsehen
Seite 112: Text 7 © Peggy Fuhrmann: „Wenn der Höhlenmensch in uns krank wird – Erkenntnisse der Evolution“ mit freundlicher Genehmigung des SWR
Seite 115–117: Text 12 aus Fluter, Ausgabe 36 – www.fluter.de
Seite 119: Text 14 nach Ideen aus einer Sendung des Bayerischen Rundfunks, BR2: IQ – Wissenschaft und Forschung – Feature, gesendet am Dienstag, 28. Juni 2011, 18.05 Uhr, Autor: Martin Schramm; Text 15 © Christoph Drösser: „Stimmt's?: Landung auf der beschmierten Seite“, DIE ZEIT, 31.3.2011
Seite 120: Text 16 © www.br.de – eine Produktion des Bayerischen Rundfunks / B5 aktuell / In Lizenz der BRmedia Service GmbH; Text 17 © Christoph Drösser: „Stimmt's?: Sind Krawatten in den USA anders gestreift?“, DIE ZEIT, 4.8.2011
Seite 123–125: Text 1 Wirtschaftsmagazin brand eins, Heft 02/2011
Seite 126: Text 2 © Tom Klenner / www.infotainment-podcast.de
Seite 128: Text 5 © Bayerischer Rundfunk, BR2: IQ – Wissenschaft und Forschung – Feature, gesendet am Donnerstag, 30. Juni 2011, 18.05 Uhr, Autorin: Bettina Weiz; Text 6 © Richard Fuchs: „OLEDs machen aus farbigem Pulver Licht“, gesendet am 8.6.2012 http://www.dw.de/dw/article/0,,15136336,00.html
Seite 131–133: Text 7 © Dr. Jens Soentgen, Staubforscher und Philosoph an der Universität Augsburg/WZU: „Im Staub steckt die ganze Welt“, aus einer Sendung von WDR 5, gesendet am 12.4.2011 in der Reihe „Neugier genügt“

7. 6. 5. | Die letzten Ziffern
2021 20 19 18 17 | bezeichnen Zahl und Jahr des Druckes.
Alle Drucke dieser Auflage können, da unverändert, nebeneinander benutzt werden.
1. Auflage

Layout und Satz: Sieveking · Agentur für Kommunikation, München
Druck und Bindung: Firmengruppe APPL, aprinta druck GmbH, Wemding
Printed in Germany
ISBN 978-3-19-201875-6

Art. 530_06791_001_05

Vorwort

Seit dem 1. Januar 2012 ersetzt das neue **Goethe-Zertifikat C2: Großes Deutsches Sprachdiplom** die Goethe-Prüfungen KDS (Kleines Deutsches Sprachdiplom), GDS (Großes Deutsches Sprachdiplom) sowie die ZOP (Zentrale Oberstufenprüfung). Mit der neuen Prüfung weisen Sie Deutschkenntnisse auf dem Niveau C2 des Gemeinsamen Europäischen Referenzrahmens nach. Das Zeugnis des **Goethe-Zertifikats C2: GDS** wird an deutschen Hochschulen als sprachliche Zugangsberechtigung anerkannt.

Das vorliegende Buch macht Sie mit der Struktur und den Anforderungen der neuen Prüfung vertraut. Die Prüfung kann als Gesamtprüfung oder nach Fertigkeiten aufgeteilt abgelegt werden. Pro Fertigkeit wird ein Modul angeboten: Lesen, Hören, Schreiben und Sprechen. Deswegen haben wir uns dazu entschlossen, uns beim Aufbau des Buchs an der modularen Struktur der Prüfung zu orientieren.

Pro Fertigkeit gibt es eine beziehungsweise zwei Trainingseinheiten sowie eine Probeprüfung. Im Training machen Sie sich mit dem Format der Prüfungsteile vertraut und erhalten Hinweise zum Üben sowie Tipps für das Lösen der Aufgaben. Anschließend können Sie unter Echtbedingungen eine Probeprüfung machen.

Zusätzlich gibt es zu jeder Fertigkeit die Einheit *Darüber hinaus*, in der Sie Übungen zu den unterschiedlichen Fertigkeiten finden. Diese beziehen sich direkt auf die Texte des Trainings und der Probeprüfung.

Einen Lösungsschlüssel finden Sie am Ende des Buchs, sodass Sie die Aufgaben auch zu Hause bearbeiten und Ihre Lösungen kontrollieren können.

Viel Erfolg beim Üben!
Linda Fromme Julia Guess

Inhaltsverzeichnis

Allgemeines

Lösungen bzw. Lösungsbeispiele zu den Übungen „Darüber hinaus" und Informationen zur Prüfung finden Sie in unserem DaF-Prüfungsportal unter: www.hueber.de/Goethe-Zertifikat-C2

Allgemeines

Die Niveaustufe C2 und die Vorgaben des Gemeinsamen Europäischen Referenzrahmens

Globalskala C2

Kann praktisch alles, was er/sie liest oder hört, mühelos verstehen.
Kann Informationen aus verschiedenen schriftlichen und mündlichen Quellen zusammenfassen und dabei Begründungen und Erklärungen in einer zusammenhängenden Darstellung wiedergeben.
Kann sich spontan, sehr flüssig und genau ausdrücken und auch bei komplexeren Sachverhalten feinere Bedeutungsnuancen deutlich machen.

Leseverstehen allgemein

Kann praktisch alle Arten geschriebener Texte verstehen und kritisch interpretieren (einschließlich abstrakter, strukturell komplexer oder stark umgangssprachlicher literarischer oder nichtliterarischer Texte). Kann ein breites Spektrum langer und komplexer Texte verstehen und dabei feine stilistische Unterschiede und implizite Bedeutungen erfassen.

Hörverstehen allgemein

Hat keinerlei Schwierigkeiten, alle Arten gesprochener Sprache zu verstehen, sei dies live oder in den Medien, und zwar auch wenn schnell gesprochen wird, wie Muttersprachler dies tun.

Schriftliche Produktion allgemein

Kann klare, flüssige, komplexe Texte in angemessenem und effektivem Stil schreiben, deren logische Struktur den Lesern das Auffinden der wesentlichen Punkte erleichtert.

Schriftliche Interaktion allgemein

Kann sich klar und präzise ausdrücken und sich flexibel und effektiv auf die Adressaten beziehen.

Mündliche Produktion allgemein

Kann klar, flüssig und gut strukturiert sprechen und seinen Beitrag so logisch aufbauen, dass es den Zuhörern erleichtert wird, wichtige Punkte wahrzunehmen und zu behalten.

Mündliche Interaktion allgemein

Beherrscht idiomatische und umgangssprachliche Wendungen gut und ist sich der jeweiligen Konnotationen bewusst. Kann ein großes Repertoire an Graduierungs- und Abtönungsmitteln weitgehend korrekt verwenden und damit feinere Bedeutungsnuancen deutlich machen. Kann bei Ausdrucksschwierigkeiten so reibungslos neu ansetzen und umformulieren, dass die Gesprächspartner kaum etwas davon bemerken.

Lernziele auf der Niveaustufe C2

Kreuzen Sie an, welche Lernziele Sie bereits erreicht haben.

Lesen

→ abstrakte, strukturell komplexe oder stark umgangssprachliche literarische oder nichtliterarische Texte verstehen ☐

→ in Texten feine stilistische Unterschiede und implizite Bedeutungen erfassen und verstehen ☐

→ in Texten feinere Nuancen auch von explizit oder implizit angesprochenen Einstellungen und Meinungen erfassen ☐

→ komplexe Texte rasch durchsuchen und wichtige Einzelinformationen auffinden ☐

Hören

→ alle Arten gesprochener Sprache verstehen, sei dies live oder in den Medien, und zwar auch wenn schnell gesprochen wird, wie Muttersprachler dies tun ☐

→ ein breites Spektrum an Tonaufnahmen und Radiosendungen verstehen, auch wenn nicht unbedingt Standardsprache gesprochen wird ☐

→ feinere Details, implizit vermittelte Einstellungen oder Beziehungen zwischen Sprechenden erkennen ☐

Schreiben

→ klare, flüssige, komplexe Berichte, Artikel und Aufsätze in angemessenem und effektivem Stil schreiben ☐

→ den Lesern durch eine logische Struktur das Auffinden der wesentlichen Punkte erleichtern ☐

→ ein Argument flüssig und stichhaltig entwickeln ☐

→ ein literarisches Werk kritisch würdigen ☐

→ einen gut gegliederten und zusammenhängenden Text erstellen und dabei eine Vielfalt an Mitteln für die Gliederung und Verknüpfung angemessen einsetzen ☐

→ sich klar und präzise ausdrücken ☐

→ sich flexibel und effektiv auf die Adressaten beziehen ☐

Sprechen

→ Sachverhalte klar, flüssig, gut strukturiert, ausführlich und wenn möglich interessant darstellen ☐

→ einen Beitrag so logisch aufbauen, dass es den Zuhörern erleichtert wird, wichtige Punkte wahrzunehmen und zu behalten ☐

→ mühelos, sicher und gut verständlich einem Publikum ein komplexes und nicht vertrautes Thema vortragen ☐

→ die Rede flexibel den Bedürfnissen des Publikums anpassen und entsprechend strukturieren ☐

→ idiomatische und umgangssprachliche Wendungen gut beherrschen und sich der jeweiligen Konnotationen bewusst sein ☐

→ Gedanken mithilfe eines sehr großen Spektrums sprachlicher Mittel präzise formulieren ☐

- → Intonation variieren und so betonen, dass Bedeutungsnuancen zum Ausdruck kommen ☐
- → ein großes Repertoire an Graduierungs- und Abtönungsmitteln (zum Beispiel Modaladverbien und Abtönungspartikeln) weitgehend korrekt verwenden und damit feinere Bedeutungsnuancen deutlich machen ☐
- → auch bei der Verwendung sprachlicher Mittel durchgehende Beherrschung der Grammatik ☐
- → bei Ausdrucksschwierigkeiten so reibungslos neu ansetzen und umformulieren, dass die Gesprächspartner oder Zuhörer kaum etwas davon bemerken ☐
- → muttersprachliche Gesprächspartner verstehen, auch wenn sie über komplexe und abstrakte Fachthemen sprechen, die nicht zum eigenen Spezialgebiet gehören ☐
- → sich sicher und angemessen unterhalten ☐

Überblick über die Module und die Bewertung

Das **Goethe-Zertifikat C2: Großes Deutsches Sprachdiplom** besteht aus folgenden Modulen:

Modul Lesen (80 Minuten)

Teil 1: Stellungnahme / Kommentar mit viergliedrigen Multiple-Choice-Aufgaben
Umfang: 10 Aufgaben – Bewertung: 40 Punkte – Zeit: 25 Minuten

Teil 2: Zuordnung von Aussagen zu einem Sachtext
Umfang: 6 Aufgaben – Bewertung: 18 Punkte – Zeit: 20 Minuten

Teil 3: Reportage mit Lücken
Umfang: 6 Aufgaben – Bewertung: 18 Punkte – Zeit: 25 Minuten

Teil 4: Zuordnung von Aussagen zu Anzeigentexten
Umfang: 8 Aufgaben – Bewertung: 24 Punkte – Zeit: 10 Minuten
Gesamtpunktzahl: 100 Punkte

Modul Hören (35 Minuten)

Teil 1: Bericht / Reportage mit Ja / Nein-Aufgaben
Umfang: 15 Aufgaben – Bewertung: 30 Punkte – Zeit: 10 Minuten

Teil 2: Zuordnung von Aussagen zu einem informellen Gespräch
Umfang: 5 Aufgaben – Bewertung: 20 Punkte – Zeit: 5 Minuten

Teil 3: Interview mit dreigliedrigen Multiple-Choice-Aufgaben
Umfang: 10 Aufgaben – Bewertung: 50 Punkte – Zeit: 20 Minuten
Gesamtpunktzahl: 100 Punkte

Modul Schreiben (80 Minuten)

Teil 1: Umformulierung eines Kurzvortrags / Referats
Umfang: 10 Aufgaben – Bewertung: 20 Punkte – Zeit: 20 Minuten

Teil 2: Leserbrief / Artikel oder Buchbesprechung schreiben
Bewertung: 80 Punkte – Zeit: 60 Minuten
Gesamtpunktzahl: 100 Punkte

Modul Sprechen (circa 15 Minuten)

Teil 1: Vortrag halten
Bewertung: 50 Punkte – Zeit: circa 10 Minuten

Teil 2: Diskussion mit einem / einer der beiden Prüfenden führen
Bewertung: 50 Punkte – Zeit: 5 Minuten
Gesamtpunktzahl: 100 Punkte

Bestehensgrenzen

In jedem Modul können maximal 100 Punkte erreicht werden. Um ein Modul zu bestehen, müssen mindestens 60 von maximal 100 Punkten erreicht werden; die Bestehensgrenze liegt also bei 60 %.

Hinweise zur Selbstbeurteilung

Der *Gemeinsame Europäische Referenzrahmen für Sprachen: lernen, lehren, beurteilen* gibt zu jeder der zentralen Fertigkeiten nicht nur Kannbeschreibungen, sondern auch Hinweise zur Selbstbeurteilung in der Ich-Perspektive. Diese werden hier im Folgenden aufgelistet und geben Ihnen im Vorfeld die Möglichkeit, Ihre Fähigkeiten auf der Skala der Niveaustufen grob einzuordnen. Sie können sie dann anhand der einzelnen Module überprüfen und trainieren. Wenn Sie große Lücken in einem oder mehreren Bereichen des Lesens oder Hörens beziehungsweise des Schreibens oder Sprechens haben, empfiehlt es sich, einen Sprachkurs oder gegebenenfalls einen Prüfungsvorbereitungskurs zu besuchen.

Möglicherweise haben Sie sich schon die einzelnen Lernziele für das Erreichen der Niveaustufe C2 (siehe Seite 7) angesehen. Lesen Sie sie noch einmal und markieren Sie jedes Lernziel, das Sie aus Ihrer Sicht erreicht haben. So können Sie auch erkennen, wo Sie vielleicht noch Lücken haben.

Lesen Sie dann die folgenden Niveaustufenbeschreibungen für die einzelnen Fertigkeiten und unterstreichen Sie alle Detailinformationen, die auf Sie zutreffen.

Bin ich fit für das **Modul Lesen** auf dem Niveau C2?

→ Ich kann nahezu jegliche Form geschriebener Sprache verstehen und interpretieren, einschließlich abstrakter, bezüglich der Struktur komplexer oder stark umgangssprachlicher literarischer und nichtliterarischer Schriftstücke.

→ Außerdem verstehe ich ein weites Spektrum langer, komplexer Texte, denen man im gesellschaftlichen, beruflichen Leben oder in der Ausbildung begegnet, und erfasse dabei feinere Nuancen auch von explizit oder implizit angesprochenen Einstellungen und Meinungen.

→ Ich kann lange und komplexe Texte rasch durchsuchen und wichtige Einzelinformationen auffinden.

Bin ich fit für das **Modul Hören** auf dem Niveau C2?

→ Ich habe keinerlei Schwierigkeit, gesprochene Sprache zu verstehen, gleichgültig ob „live" oder in den Medien, und zwar auch, wenn schnell gesprochen wird. Ich brauche nur etwas Zeit, mich an einen besonderen Akzent zu gewöhnen.

→ Außerdem verstehe ich ein breites Spektrum an Tonaufnahmen, auch wenn nicht unbedingt Standardsprache gesprochen wird. Ich kann dabei feinere Details und implizit vermittelte Einstellungen oder Beziehungen zwischen Sprechenden erkennen, zum Beispiel, ob Menschen dem anderen gegenüber positiv eingestellt sind oder eher misstrauisch etc.

Bin ich fit für das **Modul Schreiben** auf dem Niveau C2?

→ Ich kann mich schriftlich erfolgreich, angemessen und gut strukturiert ausdrücken, sodass der Leser die wesentlichen Punkte leicht erfassen kann.

→ Außerdem kann ich klare und flüssige komplexe Berichte, Artikel oder Aufsätze verfassen, die einen Sachverhalt darstellen oder eine kritische Bewertung von Anträgen oder literarischen Werken abgeben.

Bin ich fit für das **Modul Sprechen** auf dem Niveau C2?

→ Ich kann mich mühelos an allen Gesprächen und Diskussionen beteiligen und bin auch mit Redewendungen und umgangssprachlichen Wendungen gut vertraut. Ich kann fließend sprechen und auch feinere Bedeutungsnuancen genau ausdrücken. Bei Ausdrucksschwierigkeiten kann ich so reibungslos wieder ansetzen und umformulieren, dass man es kaum merkt.

→ Ich kann Sachverhalte klar, flüssig und im Stil der jeweiligen Situation angemessen darstellen und erörtern; ich kann meine Darstellung logisch aufbauen und es so den Zuhörern erleichtern, wichtige Punkte zu erkennen und sich diese zu merken.

→ Ich kann sicher und gut verständlich einem Publikum ein komplexes Thema vortragen, mit dem es nicht vertraut ist, und dabei die Rede den Bedürfnissen des Publikums anpassen und entsprechend strukturieren. Ich kann auch mit schwierigen und unfreundlichen Fragen umgehen.

Modul Lesen

Prüfungsziel

Sie sollen in diesem Modul in kurzer Zeit größere Textmengen bewältigen und mit verschiedenen Textsorten umgehen können, ohne dabei auf Hilfsmittel zurückzugreifen. Unterschiedliche Lesestile werden an dazu geeigneten authentischen Texten geprüft. Die Texte werden verschiedenen Quellen entnommen, z. B. Zeitungen, Zeitschriften, Sachbüchern, Broschüren und dem Internet. Zielpublikum des Originaltextes ist eine Leserschaft mit guter Allgemeinbildung.

Aufbau und Ablauf

Das **Modul Lesen** dauert 80 Minuten und besteht aus vier Lesetexten. Diese Texte sind von unterschiedlicher Länge und der Gesamtumfang beträgt circa 3.500 Wörter.

Prüfungsteile	Textsorte	Aufgabentyp	Zahl der Aufgaben	Zeit	Punkte
Lesen Teil 1	Kommentar / Stellungnahme	Multiple Choice (4 Auswahlmöglichkeiten)	10 Aufgaben	25 Minuten	40
Lesen Teil 2	Sachtext	Zuordnung	6 Aussagen	20 Minuten	18
Lesen Teil 3	Reportage	Lückentext	6 Textabschnitte	25 Minuten	18
Lesen Teil 4	Anzeigen, Auszüge aus Informations- oder Werbebroschüren	Zuordnung	8 Aussagen	10 Minuten	24

Insgesamt können im **Modul Lesen** 100 Punkte erreicht werden.

Lesen: Training mit Erläuterungen

Lesen, Teil 1, Beschreibung

(Dauer: 25 Minuten)

Aufgabenstellung

Teil 1 des Moduls Lesen besteht aus einem Text über ein gesellschaftlich relevantes Thema, zu dem die Autorin / der Autor Stellung bezieht. Der Text hat eine Länge von circa 1000 Wörtern.
Zu dem Text werden zehn Multiple-Choice-Aufgaben (Nr. 1–10) angeboten. Jede Aufgabe enthält vier Antwortoptionen, aus denen Sie diejenige auswählen müssen, die den Textinhalt adäquat wiedergibt. Die Reihenfolge der Aufgaben entspricht dem Textverlauf. Die Aufgabe 0 ist ein Beispiel.

Ziel des Prüfungsteils 1

Teil 1 prüft, ob Sie die im Text enthaltenen Hauptaussagen und die darin geäußerten Meinungen und Einstellungen des Autors oder im Text genannter Personen verstehen. Es wird aber auch getestet, ob Sie nicht eindeutig geäußerte Meinungen, also die implizite Bedeutung von Wörtern, Sätzen und Abschnitten verstehen. Zu guter Letzt wird überprüft, ob Sie in der Lage sind, wichtige Einzelinformationen des Textes zu erkennen und zu verstehen.

Bewertung

Jede richtige Lösung wird mit einem Punkt bewertet. Die erreichten Punkte werden mit vier multipliziert. Dieser Prüfungsteil wird höher gewichtet, da sie den längsten Text enthält, der auch in Einzelheiten verstanden werden muss, während bei den Prüfungsteilen 2 bis 4 die Texte im Vergleich dazu kürzer sind und globales und selektives Textverstehen prüfen. Sie können beim **Modul Lesen, Teil 1** insgesamt 40 Punkte erreichen.

Zeitrahmen

Für diesen Prüfungsteil haben Sie 25 Minuten Zeit.

Hinweise zum Üben

- Lesen Sie im Vorfeld der Prüfung Meinungstexte in Zeitungen und Zeitschriften. Versuchen Sie die Hauptaussagen zu erfassen, zum Beispiel indem Sie sie im Text unterstreichen oder neben den jeweiligen Textabschnitt schreiben. Versuchen Sie, die Meinung des Autors wiederzugeben, und achten Sie auch auf das, was implizit gesagt wird, also nicht direkt im Text steht. Lesen Sie die Texte dann auch im Hinblick auf detaillierte Informationen.
- Nehmen Sie sich beim ersten Üben genug Zeit, damit Sie die Strategien zur Aufgabenbewältigung, also die Aktivierung Ihres Vorwissens, das Lesen der Aufgaben, das Markieren der Hauptaussagen und das Erfassen von Detailinformationen kennenlernen. Sie sind noch nicht in der Echtprüfung, sondern erst im Trainingsprogramm. Erst in der Probeprüfung sollten Sie alles in der vorgegebenen Zeit wie in der richtigen Prüfung machen.

Tipps für das Training

- Lesen Sie sich die Aufgaben und die Antwortoptionen genau durch.
- Lesen Sie den Text Abschnitt für Abschnitt durch und markieren Sie in jedem Textabschnitt die lösungsrelevanten Stellen.
- Messen Sie die Zeit, die Sie für die beiden genannten Schritte benötigen, um zu lernen, mit der vorgegebenen Prüfungszeit umzugehen.
- Um die Zeit besser einschätzen zu können, empfehlen wir Ihnen, mit einem Wecker zu arbeiten. Lassen Sie den Wecker zum Beispiel klingeln, wenn die Hälfte der Zeit um ist, oder Sie nur noch fünf Minuten bis zum Ende der vorgegebenen Zeit haben.
- Vergessen Sie nicht, die Lösungen auf dem Aufgabenblatt zu markieren. In der Probeprüfung sollten Sie sie auf den Antwortbogen übertragen.
- *Hinweis:* Im Training mit Erläuterungen ist der Lesetext großzügiger gesetzt als in der echten Prüfung, damit Sie mehr Platz für Ihre Notizen und Markierungen haben. In der Probeprüfung entspricht die Gestaltung derjenigen in der echten Prüfung.
- Vergleichen Sie am Schluss Ihre Lösungen mit dem Lösungsschlüssel, siehe Seite 108.

Tipp: Im Training brauchen Sie noch keinen Antwortbogen. Markieren Sie die Lösungen einfach direkt in der Aufgabe.

Teil 1

Dauer: 25 Minuten

Lesen Sie den folgenden Kommentar. Wählen Sie bei den Aufgaben **1–10** die Lösung A, B, C oder D. Es gibt nur **eine** richtige Lösung. Markieren Sie Ihre Lösungen auf dem **Antwortbogen**.

Tipp: Lesen Sie zunächst die Überschrift und den ersten Satz des Textes. Was assoziieren Sie mit dem Titel. Wovon handelt der Text Ihrer Meinung nach? Notieren Sie Stichwörter.

Tipps vom Phantomschreiber

Ich habe über 80 wissenschaftliche Arbeiten für andere geschrieben – ahnen Sie meinen Beruf bereits? Ich bin Ghostwriter, d. h. Leute lassen sich von mir ihre Semester- oder Abschlussarbeiten schreiben. Natürlich denken viele Menschen bei dieser Berufsbezeichnung sofort, dass ich etwas Illegales mache. Das stimmt aber nicht. Sicherlich, es ist nicht rechtmäßig, wenn jemand eine Arbeit, zum Beispiel eine Doktorarbeit, unter seinem Namen einreicht, wenn er sie gar nicht geschrieben hat, das möchte ich nicht bestreiten. Aber deshalb sagen Ghostwriter auch allen Kunden: Wir geben euch hier nur ein Beispiel, wie eine solche Arbeit aussehen könnte.

Tipp: Lesen Sie den ersten Abschnitt und dann die Beispiel-Aufgabe und die vier Antwortoptionen auf Seite 15. Lesen Sie dann die Lösung und markieren Sie im Textabschnitt die Hinweise auf diese Lösung. Sehen Sie sich die anderen drei Antworten an und markieren Sie die Wörter im Text oder in der Lösung, die zeigen, dass die Antworten falsch sind.

Dennoch habe ich das Gefühl, dass mein Beruf gesellschaftlich nicht angesehen ist, weil ihm, meiner Meinung nach ungerechtfertigterweise, der Geruch des Unmoralischen anhaftet. Viele nehmen meine Hilfe in Anspruch, würden das aber nie öffentlich zugeben. Klar, weil sie meine Arbeit oft unverändert als ihre ausgeben. Ich will ja auch gar nicht, dass meine Arbeit in der Öffentlichkeit Thema Nummer eins ist, aber ich will, dass meine Kunden mir mit Respekt begegnen.

Phantomschreiber haben grundsätzlich die Absicht, anderen dabei zu helfen, selbst auf eine Idee zu kommen. Wir raten unseren Kunden, die Arbeit nicht unter ihrem Namen einzureichen. Eigentlich besteht unsere Aufgabe also darin, Leuten eine vorbildliche Arbeit zu liefern, an der sie sich dann orientieren können, um etwas Eigenes zu erstellen. Das wird dann oft sogar noch besser als die Arbeit des Phantomschreibers. Allerdings, das muss ich leider zugeben, befürchte ich, dass sich ein Großteil der Kunden nicht an unseren Ratschlag hält.

Oft werde ich gefragt, wie ich überhaupt auf so einen ausgefallenen Beruf gekommen bin. Nun, ich bin durch mein Studium auf diese Idee gekommen. Ich habe Psychologie studiert und meine Kommilitonen darin unterstützt, ihre Semesterarbeiten zu schreiben. Aber als ich gemerkt habe, dass ich gut im Verfassen von wissenschaftlichen Arbeiten bin, habe ich angefangen, mich auch mit anderen Themen zu beschäftigen – zunächst außerhalb der Arbeitszeit, dann auch hauptberuflich. Ich habe sehr viele Literaturarbeiten erstellt und mich auch mit medizinischen Themen auseinandergesetzt; inhaltlich gibt es eigentlich keine Grenzen, außer der einen: Ich schreibe nur über Themen, die mich interessieren. Das ist einer der vielen Vorteile an diesem Job und ich bin heilfroh, dass ich mir diesen Luxus herausnehmen kann.

Ich finde es erschreckend, wenn ich sehe, dass manche Studenten nicht einmal dazu in der Lage sind, eine 20-seitige Hausarbeit zu verfassen. Das kann doch wirklich jeder, der es an eine Hochschule geschafft hat. Den jungen Leuten mangelt es doch nicht an Zielstrebigkeit und einer gesunden Neugier auf die Welt um sie herum, sondern an der Fertigkeit, strukturiert zu arbeiten, und der Geduld, sich etwas länger mit einem Thema zu beschäftigen. Und dies kann sich nun wirklich jeder aneignen. Ich selbst bin der lebende Beweis dafür, dass systematisches Arbeiten lernbar ist. Meine erste eigene wissenschaftliche Arbeit kann man schlichtweg als Katastrophe bezeichnen: eine wirre Anhäufung von Ideen ohne roten Faden, mal ganz abgesehen von der desolaten formalen Gestaltung. Aber nachdem ich die Arbeit dann zurückbekommen hatte mit dem Hinweis, der Professor werde in solch eine Arbeit nicht einmal einen Blick werfen, hat mich der Eifer gepackt. Ich habe mich hingesetzt und mich ernsthaft mit dem Thema des wissenschaftlichen Schreibens auseinandergesetzt. Und seitdem arbeite ich sehr systematisch.

Teil 1

Beispiel:

0 Phantomschreiber befinden sich nach Meinung des Autors mit ihrer Arbeit

- [X] a im legalen Bereich.
- b im Widerspruch zum Gesetz.
- c in einem politisch umstrittenen Feld.
- d in einer rechtlichen Grauzone.

1 Der Autor hat das Gefühl, dass seine Arbeit

- a moralisch vertretbar ist.
- b öffentlich stärker thematisiert werden sollte.
- c von der Gesellschaft akzeptiert wird.
- d von den Kunden kritisch hinterfragt wird.

2 Nach Ansicht des Autors besteht die Aufgabe eines Phantomschreibers darin,

- a anderen Arbeit abzunehmen.
- b die bestmögliche Arbeit zu erstellen.
- c die Kreativität anderer anzuregen.
- d sich selbst zu verwirklichen.

3 Der Autor hat den Beruf des Phantomschreibers ergriffen, weil er

- a die viele Freizeit schätzt, die der Beruf bietet.
- b im Studium selbst Hilfe von Kommilitonen hatte.
- c Studenten helfen möchte.
- d talentiert darin ist, wissenschaftlich zu arbeiten.

4 Der Autor wirft den Studenten vor, dass sie für das Verfassen von Arbeiten

- a nicht die nötige Ausdauer haben.
- b oft nicht gut genug ausgebildet sind.
- c zu wenig Ideen haben.
- d zu wenig wissenschaftlichen Ehrgeiz haben.

Wenn ich ein Thema bekomme, beginne ich mit der Grundlagenforschung. Ich verschaffe mir einen Überblick, schaue mir an, was es bereits alles dazu gibt. Die Online-Enzyklopädie Wikipedia ist da ein erster Schritt, auch wenn es natürlich immer heißt, man solle sie bloß nicht nutzen. Aber selbstverständlich zitiere ich Wikipedia nicht, sondern verwende sie als Datenquelle, denn da findet man schon mal das eine oder andere Standardwerk, das man sich dann schnell besorgen und überfliegen sollte. Vielleicht gibt es das ja sogar als Scan im Netz. Gut ist auch, bei der Suchmaschine Google nach dem Thema in Kombination mit »file: pdf« zu suchen. So findet man meist ein paar Aufsätze, idealerweise sind ein, zwei Übersichtstexte darunter. Bei der Lektüre merkt man dann: Bestimmte Begriffe tauchen immer wieder auf. Dann googelt man noch einmal das Thema in Kombination mit diesen Begriffen. Manchmal habe ich natürlich auch Bücher ausgeliehen oder bekam welche von den Kunden geschickt.

Wenn ich einen Überblick habe, dann überlege ich mir eine ganz präzise Fragestellung. Am besten eine, von der ich weiß, dass es auch genug Material dazu gibt. Und ich überlege mir, welche Haltung ich zu der Frage einnehmen möchte. Man muss sich knallhart für einen Aspekt, einen Blickwinkel entscheiden und den durchziehen. Daran scheitern sehr viele! Professoren hassen schwammige Arbeiten, die aus verschiedenen Fragmenten einen Wust an Argumenten zu unklaren Fragestellungen anhäufen. Es ist besser, sich das Ziel und das Ergebnis der Arbeit am Anfang wirklich klarzumachen und dann so schnell wie möglich die Struktur zu bauen. Je genauer die Struktur ist, desto besser und schneller kann man die Texte danach durchscannen, was man braucht. Wir denken natürlich immer, je mehr wir lesen, desto mehr wissen wir und desto besser wird auch die Arbeit. Aber das ist ein Trugschluss und der war den chaotischen Arbeiten anzumerken, die oft bei mir gelandet sind. Die Leute hatten irre viel gelesen und dabei vielfältigste Quellen verwendet und wollten das in der Arbeit alles unterbringen. Darauf kommt es aber nicht an. Man sollte sich beim Schreiben immer zu hundert Prozent bewusst sein: Was genau soll rein, und wie viel Platz habe ich dafür. Ein Vorgehen, das sich für mich als sehr effizient entpuppt hat.

Ein guter Trick, um die Literaturliste zu erweitern, ohne sich dabei durch Berge von Literatur quälen zu müssen, ist auch das Verweisen auf Standardwerke: Wenn ich den Text geschrieben habe, habe ich immer noch einmal Referenzen darübergezogen wie eine zweite Schicht. Je mehr, desto besser. Wenn man etwas sehr genau wiedergibt oder sogar einen Textteil übernimmt, muss man das in der Fußnote selbstverständlich seitengenau angeben. Aber wenn man zum Beispiel gerade über das Kaiserreich schreibt, kann man natürlich im Internet schauen, welche Standardwerke es über diese Epoche gibt. Wenn diese Werke auch in einem anderen Text zitiert werden, kann man das Buch als Referenz nehmen, ohne es selbst gelesen zu haben. Man sagt ja an der Stelle nur: Wenn ihr was über die Literaturszene in der zweiten Hälfte des 19. Jahrhunderts wissen wollt, dann vergleicht hier und da, das sind die Standardwerke.

Ein weiterer hilfreicher Hinweis: Man kann die Einleitung erst schreiben, wenn man weiß, wo man mit der Arbeit hin will. Die Einleitung sollte den Leser in die Arbeit, in die Fragestellung regelrecht reinziehen. Das muss kitzeln, wie bei einem guten Roman. Viele denken, eine wissenschaftliche Arbeit muss möglichst viele Fachtermini enthalten und darf keine narrativen Elemente aufweisen. Ich denke aber, man sollte versuchen, in der Arbeit eine Geschichte zu erzählen und vor allem den Leser immer an der Hand zu halten.

Tipp: 1. Lesen Sie den Abschnitt und die möglichen Antworten.

2. Unterstreichen Sie in den Antworten die Schlüsselwörter. Welche Antworten können Sie gleich ausschließen?

3. Lesen Sie dann noch einmal den Abschnitt und entscheiden Sie sich für die richtige Lösung.

4. Wenn Sie sich unsicher sind, überspringen Sie diese Aufgabe und setzen Sie den Test fort. Kehren Sie am Ende noch einmal zu dieser Aufgabe zurück.

Mir gefällt mein Job, da habe ich die ethische Frage ziemlich verdrängt, wenn ich ehrlich bin. Klar verhelfe ich Leuten, die es sich leisten können, zu einem Vorteil und das ist nicht gerecht. Aber wenn jemand ein Kind bekommen hat und die letzte Arbeit einfach nicht mehr schafft oder wenn jemand hoffnungslos im Chaos seiner Arbeit versinkt und völlig verzweifelt ist, dann ist meine Arbeit auch wirklich eine Hilfe in der Not. Damit konnte ich mich immer ganz gut beruhigen. Aber in letzter Zeit nehmen die Gewissensbisse überhand und ich habe das Gefühl, dass ich etwas Neues machen muss. Daher werde ich den Beruf wechseln oder vielleicht eine Arbeit schreiben, die mich selbst im wissenschaftlichen Bereich weiterbringt. Ich denke da an eine Promotion …

5 **Im Hinblick auf das Internet meint der Autor,**

- a dass es eine unseriöse Quelle ist.
- b dass es sich für die Basisrecherche eignet.
- c dass es sich nur zur Suche nach einzelnen Fachausdrücken eignet.
- d dass nur Standardwerke zitiert werden dürfen.

6 **Der Autor ist der Meinung, die Struktur einer Arbeit**

- a entwickle sich während des Schreibprozesses.
- b müsse von Anfang an festgelegt werden.
- c sei eine Aneinanderreihung von Textstücken.
- d sei wichtiger als die inhaltliche Argumentation.

7 **Für die Stoffsammlung für eine Arbeit sollte man möglichst**

- a anerkannte Quellen verwenden.
- b ausgewählte Quellen verwenden.
- c unterschiedliche Quellen verwenden.
- d viele Quellen verwenden.

8 **Welchen Tipp gibt der Autor für das Literaturverzeichnis?**

- a Alle verwendeten Werke sollten in den Fußnoten zitiert werden.
- b Die Referenzliteratur sollte immer genau gelesen werden.
- c Für jedes Kapitel sind mindestens zwei Quellen anzuführen.
- d Grundlagenwerke können ungelesen angegeben werden.

9 **Der Autor ist der Meinung, eine wissenschaftliche Arbeit solle auch**

- a erzählerische Mittel enthalten.
- b möglichst einfach zu lesen sein.
- c unterschiedlichste Meinungen wiedergeben.
- d viel Fachvokabular aufweisen.

Antwort d kann nach einmaligem Lesen ausgeschlossen werden, denn der Autor vertritt im Gegensatz zu „vielen" eine andere Meinung.

10 **Was empfindet der Phantomschreiber, wenn er über seine Arbeit spricht?**

- a Er empfindet großen Stolz.
- b Er fühlt sich unausgelastet.
- c Er hat ein schlechtes Gewissen.
- d Er ist emotionslos.

Lesen, Teil 2, Beschreibung

(Dauer: 20 Minuten)

Aufgabenstellung
In **Teil 2** lesen Sie einen Sachtext von insgesamt circa 700 Wörtern Länge. Zum Text gibt es acht Aussagen, A–H. Sie sollen diese Aussagen den jeweiligen Textabschnitten 11–16 zuordnen. Zwei Aussagen passen nicht. Die Aufgabe 0 ist ein Beispiel.

Ziel des Prüfungsteils
Teil 2 überprüft, ob Sie die Hauptaussagen in einem Text verstehen.

Bewertung
Jede richtige Lösung wird mit einem Punkt bewertet. Die erreichten Punkte werden mit drei multipliziert. Sie können beim **Modul Lesen, Teil 2** insgesamt 18 Punkte erreichen.

Zeitrahmen
Für diesen Prüfungsteil haben Sie 20 Minuten Zeit.

Hinweise zum Üben
- Lesen Sie zur Vorbereitung auf die Prüfung Sachtexte in Zeitungen und Fachzeitschriften. Versuchen Sie die Hauptaussagen zu erfassen, zum Beispiel indem Sie sie im Text unterstreichen oder neben den jeweiligen Textabschnitt in eigenen Worten notieren.
- Nehmen Sie sich beim ersten Üben genug Zeit, damit Sie die Strategien zur Aufgabenbewältigung, also die Aktivierung Ihres Vorwissens, das Lesen der Aussagen und das Markieren der Schlüsselwörter kennenlernen. Sie sind noch nicht in der Echtprüfung, sondern erst im Trainingsprogramm. Erst in der Probeprüfung sollten Sie alles in der vorgegebenen Zeit wie in der richtigen Prüfung machen.
- Vergleichen Sie am Schluss Ihre Lösungen mit dem Lösungsschlüssel, siehe Seite 108.

Tipps für das Training
- Lesen Sie sich die Aussagen genau durch.
- Lesen Sie den Text dann Abschnitt für Abschnitt durch und markieren Sie in jedem Textabschnitt die Hauptidee. Ordnen Sie diese dann den Aussagen zu. Hinweis: Hier im Training steht der Lesetext auf zwei Seiten, damit Sie mehr Platz für Ihre Markierungen und Notizen haben. In der Probeprüfung steht er wie in der echten Prüfung auf einer Seite.
- Vergessen Sie nicht die Lösungen auf dem Aufgabenblatt zu markieren und nach Beendigung des Prüfungsteils direkt auf den Antwortbogen zu übertragen. Die Übertragung auf den Antwortbogen gilt nur für die Probeprüfung.
- Messen Sie die Zeit, die Sie für die beiden genannten Schritte benötigen, um zu lernen, mit der vorgegebenen Prüfungszeit umzugehen.
- Um die Zeit besser einschätzen zu können, empfehlen wir Ihnen, mit einem Wecker zu arbeiten. Lassen Sie den Wecker zum Beispiel klingeln, wenn die Hälfte der Zeit um ist, oder fünf Minuten, bevor die vorgegebene Zeit zu Ende ist.
- Vergleichen Sie am Schluss Ihre Lösungen mit dem Lösungsschlüssel auf Seite 108.

Teil 2

Dauer: 20 Minuten

Sieben der folgenden Aussagen entsprechen dem Inhalt des Artikels „Fledermäuse hören, wo der Nektar fließt." Ordnen Sie die Aussagen den jeweiligen Textabschnitten 11–16 zu. Eine Aussage ist bereits als Beispiel markiert und zugeordnet. Zwei Aussagen passen nicht. Markieren Sie Ihre Lösungen auf dem **Antwortbogen**.

Beispiel:

0 Eine Vielzahl von Gewächsen hat sich im Laufe der Evolution darauf verlegt, Fledermäuse als Bestäuber anzulocken.

Tipp: Lesen Sie sich zunächst die Aussagen A–H durch und markieren Sie die Schlüsselwörter. Lesen Sie dann den Text Abschnitt für Abschnitt durch und entscheiden Sie, welche Aussage zu welchem Abschnitt passt.

Aussagen:

A Die Beziehung zwischen Fledermäusen und der *Marcgravia evenia* ist für beide Seiten ein Gewinn.

B Die Blätterform der *Marcgravia evenia* eignet sich hervorragend dazu, die Ultraschallwellen der Fledermäuse zu reflektieren.

C Fledermäuse kommunizieren miteinander über Töne, deren Frequenz für das menschliche Ohr nicht wahrnehmbar ist.

D Die *Marcgravia evenia* ist so selten, dass sie sich nicht für wissenschaftliche Experimente eignet.

E Fledermäuse können bei der Jagd selbst gut versteckte Beutetiere orten.

F Kegel- und parabelförmig gebaute Pflanzen sind für Fledermäuse am attraktivsten.

G Für ihre Untersuchungen verwenden Wissenschaftler Imitationen von Blättern.

H Die Blattform der *Marcgravia evenia* mindert ihre Energiegewinnung.

Fledermäuse hören, wo der Nektar fließt

Wie mag sich dieses saftige Grün wohl anhören? Dem menschlichen Ohr bleibt die Akustik von *Marcgravia evenia* verborgen. Das Ultraschallkonzert der tropischen Kletterpflanze richtet sich ausschließlich an ein tierisches Publikum. Fledermäuse sind ganz angetan davon. Inmitten der grünen Vielfalt des Urwalds verleitet die Pflanze die Fledertiere auf der Suche nach Nektar dazu, sie geradewegs anzusteuern.

0

„Diese Pflanzen haben eine andere Klangfarbe als die umgebende Vegetation und dadurch werden sie auffällig", erzählt Ralph Simon. Der Biologe an der Universität Ulm hat zusammen mit britischen Forschern im kubanischen Regenwald die akustischen Leistungen von *Marcgravia evenia* aufgespürt. Seine Forschungsergebnisse belegen, wie sich die Tropenpflanze an die Bedürfnisse ihrer tierischen Bestäuber angepasst hat. Im Magazin *Science* werden die Beobachtungen nun beschrieben.
Dass Pflanzen mittels prächtiger Blüten oder betörender Düfte ihre tierischen Helfer anlocken, ist bekannt. Bienen und Vögel verteilen die Pollen vieler Gewächse und naschen im Gegenzug an deren Nektar. Ähnlich machen es auch Fledertiere in den Tropen, ob in Afrika, Australien oder Asien. Gleich mehrere Arten bestäuben dort Pflanzen und ernähren sich vom Saft der Blüten. „In Mittel- und Südamerika gibt es etwa 40 Arten von hoch spezialisierten Blumenfledermäusen aus der Familie der Glossophagien und einige hundert Pflanzenarten, die sich an diese Arten angepasst haben", sagt Simon.

11

Der Wissenschaftler und seine Kollegen aus Deutschland und Großbritannien beschäftigen sich mit den unglaublichen Sinnesfähigkeiten von Fledermäusen. Diese Tiere, die sich über Ultraschall nicht nur verständigen, sondern auch orientieren können, leben in einer Welt, die für den Menschen geräuschlos ist. Ihre Rufe lösen auf allen Oberflächen ein Echo aus Schallwellen aus. An deren Muster erkennen die Tiere ihre Umgebung.

Tipp: Lesen Sie sich den Text Abschnitt für Abschnitt durch und markieren Sie die Hauptidee des jeweiligen Abschnitts. Ordnen Sie jedem Abschnitt die richtige Aussage zu.

12

Beobachtungen haben gezeigt, dass die Tiere mit ihrem überragenden Gehör selbst Formen wie Kegel und Paraboloiden voneinander unterscheiden können. In Versuchen fanden Simon und sein Team heraus, dass Blumenfledermäuse am besten halbkugelförmige Objekte erkennen. „Deshalb staunten wir nicht schlecht, als wir in Kuba eine Pflanze fanden, die diese kugelig geformten, konkaven Blätter präsentierte", sagt Simon. Selbst nachts fanden zahlreiche Fledermäuse ihren Weg zu *Marcgravia evenia.* Die Forscher vermaßen daraufhin die Echoeigenschaften der Hochblätter, die direkt über den nektarreichen Blüten der Pflanze hängen. „Sie sind wirklich einzigartig", sagt Simon.

13

In den tropischen Gefilden Kubas konnten die Forscher ihre Vermutungen über die Echo-Lockmethode jedoch nicht überprüfen. *Marcgravia evenia* blüht in mehreren Metern Höhe im Kronendach des Regenwaldes, ein Umstand, der wissenschaftliche Experimente unter Echtbedingungen ziemlich erschwert. Also trainierten die Forscher Fledermäuse in einem künstlichen Laubwald im Labor. Dort sollten sie jeweils einen Futterspender suchen, der entweder für sich alleine angebracht war, oder mit der Nachbildung eines halbrunden oder eines herkömmlichen künstlichen Blatts versehen war. Am längsten brauchten die Fledermäuse, um den allein stehenden Nektarspender zu finden, unwesentlich kürzer dauerte es, wenn dieser ein einfaches Blatt angeheftet bekam. Erstaunlich: „Die Suchzeit verkürzt sich um etwa 50 Prozent, wenn die Kunstblüte ein schüsselförmiges Blatt präsentiert", sagt der Biologe Simon.

14

Marcgravia evenia ist also evolutionsbiologisch betrachtet ein cleveres Gewächs. „Von der ausgefeilten Echo-Ortung profitieren beide, Pflanze und Fledermaus", erläutert der Mitautor der Studie, Marc Holderied von der School of Biological Sciences in Bristol. „Einerseits erhöht es den Erfolg der Nahrungssuche für Nektar fressende Fledermäuse", sagt Holderied. Blumenfledermäuse statten in den Tropen jede Nacht Hunderten von Gewächsen einen Besuch ab, um ihren Energiebedarf zu decken. „Andererseits ist *Marcgravia evenia* ein seltenes Gewächs und daher auf sehr mobile Bestäuber angewiesen."

15

Die Pflanze nimmt für ihren Akustik-Trick sogar Nachteile in Kauf. Die ungewöhnliche Form und Ausrichtung ihrer Hochblätter schränke die Photosynthese ein, schreiben die Autoren der Studie. „Doch dieser Aufwand gleicht sich aus, zum Vorteil einer effizienteren Anziehung von Bestäubern", argumentieren Simon und seine Kollegen. Die Biologen sind überzeugt, dass weitere Pflanzen auf ähnliche Lockmanöver setzen. Der Mensch kann diesen Hörkunststücken nur mit speziellem Gerät folgen.

16

Ohne die Sinnesleistungen der Fledermäuse wäre die Kletterpflanze wohl aufgeschmissen. Wie präzise die Ultraschallortung der Tiere ist, zeigt eine weitere Arbeit, die ebenfalls in *Science* erschienen ist. Darin beschreibt eine Gruppe von der Brown University im amerikanischen Providence, wie Breitflügelfledermäuse Insekten jagen. Die weit verbreitet auch in Europa vorkommende Fledertierart geht ebenfalls per Ultraschall auf Beutefang. Dazu manipulieren die Tiere etwa Frequenz und Intensität ihrer Rufe. Die Flieger nutzen Ober- und Unterwellen im Schallspektrum, um Störgeräusche zu filtern. Dadurch können sie fast problemlos Insekten allein per Echo aufspüren, selbst wenn diese durch flatterndes Laub düsen.

Lesen, Teil 3, Beschreibung

(Dauer: 25 Minuten)

Aufgabenstellung

In **Teil 3** erhalten Sie als Textvorlage eine Zeitungsreportage von circa 1000 Wörtern. Der Text enthält sechs Lücken, 17–22. Es gibt außerdem sieben Textabschnitte, A–G. Sie sollen aus diesen sieben Abschnitten wählen, welcher Textabschnitt in welche Lücke passt. Der eingefügte Textabschnitt muss sowohl zum vorhergehenden als auch zum nachfolgenden Textabschnitt passen. Ein Abschnitt davon passt in keine der Lücken. Textabschnitt 0 ist ein Beispiel.

Ziel des Prüfungsteils

Dieser Prüfungsteil überprüft Ihre Fähigkeit, Verbindungselemente zu erkennen und Textbezüge herzustellen. Sie sollen erkennen, wie Textabschnitte inhaltlich und sprachlich miteinander verbunden sind.

Bewertung

Jede richtige Lösung wird mit einem Punkt bewertet. Die erreichten Punkte werden mit drei multipliziert. Sie können beim **Modul Lesen, Teil 3** insgesamt 18 Punkte erreichen.

Zeitrahmen

Für diesen Prüfungsteil haben Sie 25 Minuten Zeit.

Hinweise zum Üben

- Lesen Sie vor der Prüfung vermehrt Reportagen und markieren Sie Textbezüge und sprachliche Verbindungselemente. Überlegen Sie sich, auf welche Weise Sätze beziehungsweise Textabschnitte miteinander verknüpft werden, und machen Sie sich eine Liste mit sprachlichen Mitteln, zum Beispiel mit Konjunktionen oder rück- und vorverweisenden Pronomen.
- Nehmen Sie sich beim ersten Üben genug Zeit, damit Sie die Strategien zur Aufgabenbewältigung, also die Aktivierung Ihres Vorwissens, das Lesen der Textabschnitte und das Markieren der Übergänge kennenlernen. Sie sind noch nicht in der Echtprüfung, sondern erst im Trainingsprogramm. Erst in der Probeprüfung sollen Sie alles in der vorgegebenen Zeit wie in der richtigen Prüfung machen.

Tipps für das Training

- Lesen Sie sich den Text und die Textabschnitte gut durch.
- Markieren Sie dabei sowohl im Text als auch in den Textabschnitten die inhaltlichen Übergänge, also zum Beispiel die zentralen Ideen / Personen, und auch die sprachlichen Verbindungselemente, zum Beispiel Konjunktionen.
- *Hinweis:* Der Lesetext ist im Training mit Erläuterungen auf zwei Seiten aufgeteilt, damit Sie mehr Platz für Ihre Markierungen haben. In der Probeprüfung entspricht die Textgestaltung derjenigen in der echten Prüfung.
- Vergessen Sie nicht, die Lösungen auf dem Aufgabenblatt zu markieren und nach Beendigung des Prüfungsteils direkt auf den Antwortbogen zu übertragen. Die Übertragung auf den Antwortbogen gilt nur für die Probeprüfung.
- Messen Sie die Zeit, die Sie für die Bearbeitung des Prüfungsteils benötigen, um zu lernen mit der vorgegebenen Prüfungszeit umzugehen.
- Um die Zeit besser einschätzen zu können, empfehlen wir Ihnen, mit einem Wecker zu arbeiten. Lassen Sie den Wecker zum Beispiel klingeln, wenn die Hälfte der Zeit um ist, oder fünf Minuten, bevor die Zeit zu Ende ist.
- Vergleichen Sie am Schluss Ihre Lösungen mit dem Lösungsschlüssel, siehe Seite 108.

Teil 3

Dauer: 25 Minuten

Lesen Sie die folgende Reportage, aus der Textabschnitte entfernt wurden.
Setzen Sie die Abschnitte in den Text ein (17–22). Ein Textabschnitt passt nicht.
Ein Abschnitt ist bereits als Beispiel eingefügt. Markieren Sie Ihre Lösungen auf dem **Antwortbogen**.

Babylonisches Sprachengewirr

Ein sonniger Freitag im Brüsseler Europaviertel. In einem Konferenzzentrum der EU taucht Katharina Schmid in die klimatisierte, sonnenlose Welt der EU-Meetings ein. Mit dem Fahrstuhl fährt die zierliche 33-Jährige zu ihrem Arbeitsplatz im zweiten Stock. Sechs Glaskabinen sind in die Wände oberhalb des Tagungsraums eingelassen.

Beispiel: Textabschnitt 0
In einer davon sitzt Katharina Schmid mit zwei Dolmetscherkolleginnen – sie bilden für dieses Treffen das deutsche Team. 27 Mitgliedsländer hat die EU, Dokumente und Reden werden in 23 Sprachen übersetzt, denn jeder Abgeordnete hat das Recht, sich in seiner Muttersprache zu verständigen.

Zum Vergleich: Die NATO beschränkt sich auf die Übersetzung in zwei Amtssprachen, die UNO in New York mit ihren über 190 Mitgliedsstaaten auf sechs. Über eine Milliarde Euro kostet es pro Jahr, damit sich die Abgeordneten in Brüssel und am Haupttagungsort in Straßburg verstehen. Insgesamt gibt es 506 mögliche Kombinationen der Sprachen. Simultandolmetscher müssen sich in komplizierte Sachverhalte einarbeiten können, brauchen Einfühlungsvermögen, Menschenkenntnis und gute Nerven.

Tipp: Lesen Sie zunächst den einleitenden Abschnitt des Textes und Textabschnitt 0, um in das Thema des Textes einzusteigen. Lesen Sie anschließend die Abschnitte vor und nach der Lücke für Textabschnitt 17. Markieren Sie die Schlüsselwörter und die sprachlichen Verbindungselemente.

17 Textabschnitt

Die meisten sammeln im Lauf der Jahre einen ganzen Schatz an Horrorgeschichten. Ferenc Robinek aus der ungarischen Kabine erzählt, wie sein Kollege einmal ganz kurz auf die Toilette musste. Als er zurückkam, wurde in der Sitzung viel von „Profit" gesprochen, was aber weder zum Tagungsthema noch in den Gedankenfluss des französischen Redners hineinpasste.

„Die meisten" verweist auf ein Substantiv, das im vorausgehenden Textabschnitt genannt wurde und in diesem Textabschnitt wieder aufgegriffen wird.

18 Textabschnitt

Bei den medizinischen Fachbegriffen, die auf Griechisch, Portugiesisch oder Slowakisch durch den Raum schwirren, kann auch ein geübter Dolmetscher schnell ins Stolpern geraten. Auf dem Kabinenplan, den jeder der 18 heute anwesenden Dolmetscher vor Sitzungsbeginn bekommen hat, kann Schmid die Sprachverteilung sehen. Sie selbst überträgt aus dem Englischen, Französischen und Portugiesischen ins Deutsche. Derzeit lernt sie noch Italienisch als vierte Sprache dazu.

19 Textabschnitt

Die portugiesische Expertin, die unten im Saal das Wort ergreift, kann also in ihrer Muttersprache reden. Allerdings gibt es heute niemanden, der aus dem Portugiesischen ins Slowakische übersetzen kann – doch einer der drei anwesenden slowakischen Dolmetscher versteht Deutsch. So holt er sich per Knopfdruck Katharina Schmids Stimme auf den Kopfhörer, um dann aus dem Deutschen ins Slowakische weiter zu übertragen. So eine Dolmetscherschleife nennt man „Relais-Übersetzung". „Wenn bei einer Sitzung alle 23 EU-Sprachen angeboten werden, dann wird es schwierig, den Kabinenplan zu lesen", sagt Katharina Schmid. Das Konferenzzentrum, in dem sie heute arbeitet, wurde Ende der Siebzigerjahre gebaut, daher kann das nicht passieren. Damals gehörten der Europäischen Gemeinschaft nur neun Länder an, weshalb man in die Sitzungssäle maximal neun Dolmetscherkabinen baute. Bis in die Sechzigerjahre hinein war zudem noch „konsekutiv" gedolmetscht worden – nach jedem Abschnitt machte der Redner eine Pause und ließ den Dolmetscher zu Wort kommen, was einen doppelten Zeitaufwand bedeutete.

20 Textabschnitt

Seither bietet seine Abteilung nur noch die wichtigsten Sitzungen in allen 23 Sprachen an. Wer zusätzlichen Sitzungen in seiner Muttersprache folgen möchte, muss bezahlen. Bei vielen Ländern ging die Nachfrage daraufhin spürbar zurück, sie schauten genau, bei welchen Sitzungen sie sparen konnten. „Allmählich steigt die Nachfrage aber wieder, weil die Regierungen gemerkt haben, dass es billiger sein kann, in Dolmetscher zu investieren, als seine politische Botschaft nicht präzise rüberzubringen", sagt Andersen.

21 Textabschnitt

Deshalb werden auch neunzig Prozent der Treffen des Europaparlaments in mehrere EU-Sprachen übertragen – das bedeutet 110.000 Dolmetschertage pro Jahr.
Der am 1. Dezember 2009 in Kraft getretene Lissabonvertrag hat den Übersetzern und Dolmetschern noch einmal mehr Arbeit beschert. Denn seither ist das EU-Parlament in Straßburg bei fast allen EU-Gesetzesvorhaben mit dem Ministerrat gleichberechtigter Mitgesetzgeber. Übersetzungen müssen fristgerecht vorliegen, Verhandlungsführer bekommen ihren persönlichen Dolmetscher zur Seite gestellt. Während Ian Andersen sein Bezahlsystem am Standort Brüssel preist und fest überzeugt ist, dass auch das EU-Parlament in Straßburg und Brüssel mit weniger Übersetzungsaufwand auskommen könnte, eint beide eine Sorge: Der Nachwuchs fehlt.

22 Textabschnitt

Doch man muss keine „exotischen" Sprachen wie Lettisch, Maltesisch oder Irisch-Gälisch beherrschen, um in Straßburg und Brüssel gute Aussichten auf einen Job zu haben. Das Durchschnittsalter in den deutschen Sprachkabinen liegt bei 50 Jahren, viele der Dolmetscher gehen demnächst in Rente. „In welchem anderen Job ist man dabei, wenn Geschichte geschrieben wird?", fragt Cosmidou. Und Susanne Altenberg, Chefin der deutschen Sprachabteilung, ergänzt: „Ich lese gerade Tony Blairs Memoiren. Als er im Europaparlament eine berühmte Rede hielt, war ich seine deutsche Stimme."

Teil 3

Tipp: Sie können Abschnitt für Abschnitt vorgehen und den jeweils fehlenden Textabschnitt einfügen. Alternativ können Sie zunächst den ganzen Text lesen und die Schlüsselwörter sowie die sprachlichen Verbindungselemente markieren. Dasselbe machen Sie anschließend bei den Textabschnitten A–G. Entscheiden Sie erst danach, welcher Textabschnitt in welche Lücke passt.

0

In einer davon sitzt Katharina Schmid mit zwei Dolmetscherkolleginnen – sie bilden für dieses Treffen das deutsche Team. 27 Mitgliedsländer hat die EU, Dokumente und Reden werden in 23 Sprachen übersetzt, denn jeder Abgeordnete hat das Recht, sich in seiner Muttersprache zu verständigen.

A

Auf der Facebookseite Interpreting-for-Europe wirbt die EU daher für einen abwechslungsreichen, kreativen, gut bezahlten Beruf, der mit vielen Reisen verbunden ist. Nach der letzten Erweiterungsrunde waren es vor allem die kleinen Sprachen, für die qualifizierte Dolmetscher fehlten. In den baltischen Staaten wurden zum Beispiel unter der russischen Besatzung jahrzehntelang die Landessprachen systematisch verdrängt. Von der Insel Malta mit ihren gut 400.000 Einwohnern sind bis heute nicht genug Dolmetscher nach Brüssel gekommen.

B

Erst hinterher wurde ihm klar, dass die ganze Zeit von Mohammed die Rede war – auf Französisch „le prophète".
Heute treffen sich unterhalb von Katharinas Kabine Bildungsfachleute aus allen 27 Mitgliedsstaaten, um über Mindeststandards für die Ausbildung von Ärzten und Zahnärzten zu reden.

C

Doch inzwischen haben sich die EU-Politiker längst an den Luxus gewöhnt, im Sitzungssaal zu den Kopfhörern zu greifen und ihre Muttersprache zu hören. „Damit die Kosten nicht explodieren, haben wir 2004 ein kostenpflichtiges System eingeführt", erklärt Ian Andersen von der Generaldirektion Dolmetschen, dem für das Dolmetschen und die Organisation von Konferenzen zuständigen Dienst der Europäischen Kommission.

D

Wer Übersetzer oder Dolmetscher bei der EU werden möchte, kann sich bei der „Personalabteilung", dem European Personal Selection Office (EPSO), bewerben. Anwärter auf eine Stelle müssen in jedem Fall Deutsch, Englisch oder Französisch können und darüber hinaus noch eine Sprache der Europäischen Union beherrschen. Dabei spielt es keine Rolle, ob diese viele oder wenige Sprecher hat.

E

Beim Europaparlament in Straßburg mit rund 750 Abgeordneten hat sich die Nachfrage nach Dolmetschern durch die letzte Erweiterungsrunde fast verdoppelt. „Wir können uns nicht wie die EU-Kommission und der Rat der Regierungen am Bedarf jeder einzelnen Sitzung orientieren", erklärt Olga Cosmidou, die den Dolmetscherdienst des Europäischen Parlaments leitet. „Jeder europäische Bürger hat ein Anrecht darauf, jede beliebige Sitzung per Webstream in seiner Muttersprache verfolgen zu können."

F

Laut Weltgesundheitsorganisation gehört Dolmetscher zu den stressigsten Berufen überhaupt – gleich nach Jetpilot und Fluglotse. Katharina hat sich den schmalen, schwarzen Kopfhörer so aufs blonde Haar gesetzt, dass ein Ohr frei bleibt. So kann sie gleichzeitig die Stimme des Redners und ihre eigene hören. Hörfehler und Missverständnisse sind der Albtraum jedes Berufsanfängers.

Markieren Sie die Schlüsselwörter und die sprachlichen Verbindungselemente in dem Textabschnitt. Überprüfen Sie dann, ob die Anschlüsse sowohl zum vorhergehenden als auch zum nachfolgenden Textabschnitt passen.

G

Doch schon jetzt ist ihr Mix für die Bedürfnisse der Europäischen Institutionen, die die weltweit größten Dolmetscher- und Übersetzerdienste betreiben, ziemlich ideal, denn häufig wird in der EU-Kommission und im Rat der Regierungen nur auf Deutsch, Englisch und Französisch verhandelt. Portugiesisch wird eher selten genutzt – damit füllt Katharina Schmid, die 2004 an der Kölner FH ein Dolmetscherdiplom gemacht hat, zusätzlich eine Marktlücke.

Lesen, Teil 4, Beschreibung

(Dauer: 10 Minuten)

Aufgabenstellung
In **Teil 4** lesen Sie vier kurze Texte von jeweils circa 200 Wörtern. Zusammen haben die Texte circa 800 Wörter. Dabei handelt es sich um Anzeigen und Auszüge aus Informations- oder Werbematerialien.
Zu den vier Texten gibt es eine Beispiel-Aufgabe und acht Aussagen, Aufgabe 23–30. Sie entscheiden, zu welcher Anzeige die Aussagen gehören.

Ziel des Prüfungsteils
Teil 4 überprüft Ihre Fertigkeit, Texte schnell zu lesen und gezielt wichtige Einzelheiten zu entnehmen.

Bewertung
Jede richtige Lösung wird mit einem Punkt bewertet. Die erreichten Punkte werden mit drei multipliziert. Sie können beim **Modul Lesen, Teil 4** insgesamt 24 Punkte erreichen.

Zeitrahmen
Für diesen Prüfungsteil haben Sie 10 Minuten Zeit.

Hinweise zum Üben
- Suchen Sie sich gezielt eine oder mehrere Anzeigen, die für Sie interessant sein könnten, zum Beispiel zu Ihrem Hobby oder zu einem Berufsfeld, das Sie interessiert. Überlegen Sie sich Fragen an diese Texte (zum Beispiel: Was wird von mir in diesem Beruf verlangt? Wie viel kann ich verdienen? Welche Qualifikationen muss ich mitbringen?) und lesen Sie die Texte dann gezielt daraufhin durch.
- Nehmen Sie sich beim ersten Üben genug Zeit, damit Sie die Strategien zur Aufgabenbewältigung, also die Aktivierung Ihres Vorwissens, das Lesen der Aufgaben und das schnelle zielgerichtete Lesen der kurzen Texte kennenlernen. Sie sind noch nicht in der Echtprüfung, sondern erst im Trainingsprogramm. Erst in der Probeprüfung sollten Sie alles in der vorgegebenen Zeit wie in der richtigen Prüfung machen.

Tipps für das Training
- Lesen Sie sich die einzelnen Aufgaben gut durch.
- Lesen Sie dann die Texte durch. Lesen Sie nicht ausführlich, sondern suchen Sie gezielt nach den in der Aufgabenstellung geforderten Informationen, die durch das Anzeigenformat auch grafisch hervorgehoben sein können.
- Vergessen Sie nicht, die Lösungen auf dem Aufgabenblatt zu markieren und nach Beendigung des Prüfungsteils direkt auf den Antwortbogen zu übertragen. Die Übertragung auf den Antwortbogen gilt nur für die Probeprüfung.
- Messen Sie die Zeit, die Sie für die Bearbeitung des Prüfungsteils benötigen, um zu lernen, mit der vorgegebenen Prüfungszeit umzugehen.
- Um die Zeit besser einschätzen zu können, empfehlen wir Ihnen, mit einem Wecker zu arbeiten. Lassen Sie den Wecker zum Beispiel klingeln, wenn die Hälfte der Zeit um ist, oder fünf Minuten, bevor die vorgegebene Zeit zu Ende ist.
- Vergleichen Sie am Schluss Ihre Lösungen mit dem Lösungsschlüssel, siehe Seite 108.

Teil 4

Dauer: 10 Minuten

Sie möchten sich an einem Literaturwettbewerb beteiligen. Verschaffen Sie sich schnell einen Überblick über die vier Ausschreibungen. Zu welcher Ausschreibung (A, B, C, D) passen die Aussagen 23–30? Auf eine Anzeige können mehrere Aussagen zutreffen, aber es gibt nur eine richtige Lösung für jede Aussage. Markieren Sie Ihre Lösungen auf dem **Antwortbogen**.

0 D — Der Wettbewerbstext richtet sich an Autoren mit dem Zielpublikum Teenageralter.

23 ______ Autoren müssen sich mit ihren Beiträgen selbst um die Teilnahme bemühen, auch wenn sie von Dritten vorgeschlagen werden.

> Lesen Sie zuerst das Beispiel und unterstreichen Sie die Schlüsselwörter. Lesen Sie dann die Anzeigen gezielt im Hinblick auf die gesuchte Information.

24 ______ Der Autor kann ein völlig neues literarisches Format entwerfen.

25 ______ Der Autor muss dazu bereit sein, seinen Wettbewerbsbeitrag vorzutragen.

26 ______ Der Wettbewerbstext wird im Internet veröffentlicht.

27 ______ Die Wettbewerbstexte werden in eine andere Sprache übersetzt.

28 ______ Der Autor verfasst einen Gebrauchstext.

29 ______ Der Autor beschreibt sein Verhältnis zu Deutschland.

30 ______ Der Autor muss Geld bezahlen, um zum Wettbewerb zugelassen zu werden.

Teil 4

Text A

Großer Bücher-Wiki-Preis
Der Buchversender Jokers lädt alle Internet-Nutzer, die Lust haben, sich mit einem Thema näher auseinanderzusetzen, dazu ein, einen Sachtext für das Bücher-Portal www.buecher-wiki.de zu verfassen. Der Preis ist mit über tausend Euro dotiert. Zwischen dem 1. und 30. September können die Beiträge über die E-Mail-Adresse wettbewerb@buecher-wiki.de eingereicht werden. Die Mindestlänge beträgt 1600 Zeichen inkl. Leerzeichen. Das Thema ist freigestellt, gewertet werden Sachtexte mit Ausnahme von Rezensionen. Eine fachkundige Jury wählt die drei besten Wettbewerbs-Beiträge aus und prämiert sie (1. Preis: 1000 Euro; 2. Preis: 500 Euro; 3. Preis: 250 Euro). Zudem gibt es attraktive Sonderpreise. Die Preisträger werden im Herbst bekannt gegeben. Sämtliche Beiträge werden auf www.buecher-wiki.de publiziert. Die schönsten Einsendungen werden zudem in einem Sonderband zusammengestellt. Teilnehmen können alle deutschsprachigen Internet-Nutzer. Partner des Großen Bücher-Wiki-Preises sind der Autorenhaus Verlag, „Das Gedicht", das Gutshotel Groß Breesen als Deutschlands erstes Bücherhotel und „TextArt-Magazin für Kreatives Schreiben".

Weitere Informationen unter: wettbewerb@buecher-wiki.de und www.buecher-wiki.de

Text B

Süddeutscher Autorenpreis – 10. Ausschreibung
Auch dieses Jahr findet der süddeutsche Literaturwettbewerb wieder statt: Und zwar zum zehnten Mal! Deshalb gibt es dieses Jahr auch einen zusätzlichen Lyrikpreis zu vergeben. Zur Verleihung des zehnten süddeutschen Autorenpreises sind alle Autorinnen und Autoren eingeladen, die aus ihrer subjektiven Erfahrungswelt heraus etwas erzählen können über das bunte und vielfältige Leben in Deutschland. Gefragt sind Texte über das Aufeinandertreffen der Kulturen: Schnittmengen, Teilmengen aber auch Restmengen als Teile einer zunehmend multikulturellen Kultur. Erwartet wird ein literarischer Text, der sowohl Neuankömmlingen als auch Alteingesessenen zu einer Brücke des Verstehens werden kann. Preise: 1. Preis: 3-monatiger Studienaufenthalt in einer süddeutschen Stadt eigener Wahl; 2. Preis: eine Studienreise in eine süddeutsche Stadt freier Wahl; 3.–10. Preis: 250-Euro-Büchergutschein. Jubiläums-Sonderpreis: Lyrik – 3-monatiger Studienaufenthalt in einer süddeutschen Stadt eigener Wahl. Eingereicht werden können bisher unveröffentlichte Texte: Klassisches, Avantgardistisches aus allen literarischen Sparten. Es kann auch Experimentelles verfasst werden. Jede Autorin, jeder Autor kann sich mit einem unveröffentlichten Text beteiligen. Einsendungen mit Titel, ohne Namen der Verfasserin, des Verfassers; dazu in verschlossenem Umschlag: Name, Anschrift, Kurzbiografie.

Weitere Informationen finden Sie unter: www.10_sueddeutscher_Autorenpreis.de

Text C

Dresdner Lyrikpreis

Der Preis, der zur Förderung des gegenwärtigen poetischen Schaffens von der Landeshauptstadt Dresden ausgelobt wird, ist mit 5000 Euro dotiert. Bewerber aus dem deutschsprachigen Raum und der Tschechischen Republik können zwar auch von Verlagen, Herausgebern und Redaktionen der Literaturzeitschriften, Autorenverbänden und literarischen Vereinigungen vorgeschlagen werden, erwünscht werden aber ausdrücklich Eigenbewerbungen. Eingereicht werden sollen mindestens 6 und höchstens 10 selbst verfasste Gedichte in fünffacher maschinen- oder computergeschriebener Ausfertigung und eine knappe bio-bibliographische Darstellung mit aktueller Anschrift. Auf den Texten darf der eigene Name nicht erscheinen. Stattdessen muss ein Kennwort auf allen Textseiten sowie auf der gesonderten Bio-Bibliographie angegeben werden. Eine dreiköpfige tschechische Vorjury nominiert aus den tschechischen Einsendern bis zu 5 Kandidatinnen und Kandidaten; drei deutschsprachige Vorjuroren wählen aus den deutschsprachigen Bewerbern ebenfalls bis zu 5 Kandidaten aus, die zur BARDINALE für die Endausscheidung nach Dresden eingeladen werden. Vor Hauptjury und Publikum präsentieren die Nominierten einen circa zehnminütigen Ausschnitt der Wettbewerbs-Beiträge. Sämtliche eingesandte Texte aller nominierten Bewerber werden im Vorfeld von renommierten literarischen Übersetzern in die jeweils andere Sprache übertragen und der Hauptjury zur Verfügung gestellt. Jeder Bewerber muss grundsätzlich bereit sein, im Falle seiner Nominierung am Tag der Preisverleihung in Dresden vor Publikum zu lesen. Am 01.02. werden die Kennworte der Nominierten auf den Internetseiten www.dresdner-literaturbuero.de und www.literaturhaus-dresden.de veröffentlicht. Der Name der Preisträgerin / des Preisträgers wird nach der Preisverleihung ebenfalls auf den angegebenen Internetseiten sowie in der Presse bekannt gegeben. Einsendungen an:

Förderverein für das Erich Kästner Museum/Dresdner Literaturbüro e.V.
Antonstr. 1
01097 Dresden

Tipp: Lesen Sie die Anzeige gezielt im Hinblick auf die von Ihnen gesuchte Information und markieren Sie die relevante Textstelle. Achtung: Lesen Sie die Anzeige nicht detailliert. Sie haben bei dieser Aufgabe nur sehr wenig Zeit.

Text D

Hans-im-Glück-Preis

Der Förderpreis der Kreisstadt Limburg a. d. Lahn für Jugendbuchautorinnen und -autoren ist mit 2500 Euro und einer Kugel mit 24-karätiger Blattvergoldung dotiert. Eingereicht werden sollen sprachlich und formal anspruchsvolle Romane und Erzählungen aus dem deutschen Sprachraum, die sich an ein jugendliches Lesepublikum wenden (keine Kinderbücher, keine Kurzgeschichten, Bilderbücher / Bilderbuchtexte, Gedichte oder Übersetzungen). Der Umfang sollte mindestens drei DIN-A4-Seiten betragen (Blätter einseitig bedruckt, ungebunden, Schrift: Arial oder Times New Roman, Schriftgröße: 12 pt, Zeilenabstand: 1,5, Rand: 3 cm). Die Texte müssen unveröffentlicht sein und sind in 2-facher Ausfertigung einzureichen. Bücher sollen in 6-facher Ausfertigung vorgelegt werden. Dabei muss es sich um Neuerscheinungen aus den letzten zwei Jahren handeln. Eine Bio-Bibliographie muss der Einsendung beiliegen. Bei jeder Manuskripteinsendung sind 10 Euro unter Angabe des Verwendungszwecks „Hans-im-Glück-Preis" auf folgendes Konto zu überweisen: Kreissparkasse Limburg, BLZ 511 500 18, Kto. 67XXXX, IBAN: DE76 5115 XXXXX 0000, BIC: HELADEF1LIM. Einsendungen an:

Magistrat der Kreisstadt Limburg a. d. Lahn
Kulturamt, „Hans-im-Glück-Preis"
Werner-Senger-Straße 10
65549 Limburg a. d. Lahn

Lesen: Probeprüfung

Teil 1 *Dauer: 25 Minuten*

Lesen Sie den folgenden Kommentar. Wählen Sie bei den Aufgaben **1–10** die Lösung a, b, c oder d. Es gibt nur **eine** richtige Lösung. Markieren Sie Ihre Lösung auf dem **Antwortbogen**.

Reklamieren Sie – das ist Ihr gutes Recht

Kaufen ist wichtig, damit die Konjunktur wieder läuft. Das Problem ist nur – es macht keinen Spaß mehr. Neulich zum Beispiel. Da waren ein Paar Kinderschuhe fällig. Wir haben uns für die Hausmarke einer großen Kette entschieden, sportlicher Jungenschuh für knappe vierzig Euro. Nick hat die nur dreimal getragen. Weil nämlich sofort der Klettverschluss gerissen ist. Ich habe die Schuhe zurückgebracht, und man hat sie eingeschickt zum Nähen. Ist ja an sich sinnvoll. Ich habe aber gleich gesehen, dass das nicht funktionieren wird. Hat es auch nicht. Also wieder ins Geschäft. Geld zurück.

Ein besonders kritischer Kunde war ich eigentlich nie. Überall, wo gearbeitet wird, selbst in der Raumfahrt, gibt es einen gewissen Prozentsatz an Murks. In Ausnahmefällen ist auch mit Fehlkäufen zu rechnen. Und ich gehe davon aus, dass ein Kinderschuh für vierzig Euro eine kürzere Halbwertzeit hat als einer für achtzig. Aber ich kann mich nicht recht daran gewöhnen, dass mir sämtliche Konsumgüter, die der Exportweltmeister und Qualitätsstandardsetzer Deutschland heutzutage so auf den Markt wirft, praktisch unter den Händen zerbröseln.

Dabei scheint es inzwischen sogar egal zu sein, ob man günstig oder exklusiv shoppt. Eine Bekannte hat mir erzählt, wie sie versuchte, eine 300-Euro-Geldbörse von einem Luxushersteller umzutauschen, bei der nach einer Woche der Druckknopf den Dienst quittiert hatte. Im Geschäft hieß es: „Sind Sie eigentlich in unserer Kundenkartei?" Und dann: „Ich glaube, das ist nicht die richtige Geldbörse für Sie." Aber mir ist an diesem Fall klargeworden, dass sich im Kapitalismus, von dem es mal hieß, er sei wie keine andere Gesellschaftsform geeignet, die Bedürfnisse der Massen zu befriedigen, inzwischen die Verhältnisse umgekehrt haben: Nicht der Konsument hat Ansprüche an die Ware zu stellen – die Ware beansprucht den Konsumenten.

Wobei das Wort Konsument ohnehin ein Missverständnis ist. Viel zu passiv gedacht. Sie müssen verstehen, dass Sie eine Beziehung eingehen. Und die kann fürchterlich kompliziert sein. Ein Baby dürfen Sie nach der Entbindung einfach mit nach Hause nehmen. Aber ein Kaffeeautomat oder eine Spülmaschine werden mit 40-seitigen Bedienungsanleitungen ausgeliefert. Sie, der Kunde, sind gehalten, sich zu informieren und an der Ware zu wachsen. Die Soziologie hat das schon vor zehn oder fünfzehn Jahren gemerkt. Das Ideal unserer Wirtschaft ist „Der arbeitende Kunde", so ein Klassiker zum Thema, der beschreibt, wie Konsumenten zu „unbezahlten Mitarbeitern" der produzierenden, handelnden und übrigens auch dienstleistenden Unternehmen werden. Die Angelsachsen haben in diesem Zusammenhang den Begriff des „prosumers" geprägt: Das Wort beschreibt einen Kunden, der gleichzeitig Verbraucher und Produzent eines Gutes ist.

Angefangen hat das alles mit dem Kaufhaus und dem Supermarkt. Dann kam das Möbelhaus Ikea, die Kultur der Selbstabholer und des Inbusschlüssels. Mit dem E-Business hat die Entwicklung schließlich eine neue Qualität angenommen. Früher war man noch auf ein Reisebüro angewiesen, heute organisiert man seine Mobilität – bis hin zum Ausdrucken des Tickets alleine. Damals kam das Paket mit bestellter Ware noch zu Hause an, heutzutage holt man es eigenhändig an der Packstation ab. Dienstleister haben früher tatsächlich als solche gearbeitet. In unserer Zeit wird man selbst zum aktiven Teil des Dienstleistungsgeschäfts, indem man zum Beispiel vergleichende Preisstudien erstellt und Kundenbewertungen im Internet checkt. Ließ man früher noch den Fachmann kommen, pflegt man heute seinen Induktionsherd selbst.

Teil 1

Beispiel

0 **Die Autorin hält Einkaufen für frustrierend, weil**

- [X] a die Produkte nachlässig verarbeitet werden.
- [ ] b die Warenpreise enorm gestiegen sind.
- [ ] c es nur noch dem Wirtschaftswachstum dient.
- [ ] d Kaufhausketten nur noch Massen abfertigen.

1 **Sie bezeichnet sich als recht unkritische Kundin, obwohl**

- [ ] a ihre Erwartungen an deutsche Ware unerfüllt bleiben.
- [ ] b sie sich ständig mit Fehlkäufen konfrontiert sieht.
- [ ] c sogar teure Produkte von schlechter Qualität sind.
- [ ] d viele Produkte nicht dem Standard entsprechen.

2 **Die Autorin ist sich darüber bewusst geworden, dass**

- [ ] a die Ansprüche des heutigen Käufers immer höher werden.
- [ ] b die Bedürfnisse des modernen Kunden missachtet werden.
- [ ] c Konsumgüter dem Kunden viel abverlangen.
- [ ] d unsere Gesellschaft lediglich die Masse zufrieden stellt.

3 **Die Autorin ist der Meinung, der neuzeitliche Konsument**

- [ ] a müsste mehr Arbeit leisten als der Produzent selbst.
- [ ] b müsste unentgeltlich für die Hersteller arbeiten.
- [ ] c sollte beim Kauf weniger passiv vorgehen.
- [ ] d sollte sehr genau über die Ware informiert sein.

4 **Der Kunde heute ist im Gegensatz zu dem von früher**

- [ ] a abhängiger von Dienstleistern.
- [ ] b fachlich bewanderter.
- [ ] c hilfloser, was das Kaufen betrifft.
- [ ] d offener für neue Konsumwege.

Teil 1

→ Fortsetzung von Seite 30

Wer so viel Aufwand betreiben muss, um Dinge des persönlichen Gebrauchs überhaupt erst in Gebrauch zu nehmen, hat irgendwann natürlich keine Geduld mehr übrig. Schlaue Branchen haben begriffen, dass Reklamation und Umtausch (sogar ohne Bon) heute zum Kaufvorgang gehören wie das Bezahlen. Andere machen es ihren Kunden schwer – das Reklamations-Lamento im Internet hat sich zu einer eigenständigen Literaturgattung entfaltet.

Was mich betrifft: Ich rechne nicht mehr damit, dass ich etwas, das ich kaufe, auch wirklich behalten werde. Bestimmt hat man mir wieder was untergeschoben, ist irgendwo ein Haken an der Sache. Ich bewahre sämtliche Kassenzettel auf, und ich nehme automatisch jeden Extragarantievertrag, der mir unter die Nase gehalten wird. Manchmal habe ich Erfolgserlebnisse. Zum Beispiel ist es mir gelungen, aus einem Handyvertrag rauszukommen, den man mir aufgedrängt hatte. Ich musste zwar zwei Monate lang fernmündlich verhandeln. Das war anstrengend, aber am Ende wurde der Vertrag annulliert. Haben Sie schon mal einen Handyvertrag storniert bekommen? Von einer Minute auf die andere?

So etwas befeuert mich. Und dann kann es passieren, dass ich in einen regelrechten Reklamationswahn gerate, dass ich anfange zu halluzinieren. Verehrter Herr Lehrer, nehmen Sie umgehend diese missratene Mathearbeit zurück – dass die Brüche drankommen würden, war nirgends ausgewiesen. Oder: Lieber Gott, wir möchten die Erde reklamieren – die mitgelieferte Ausstattung entspricht nicht dem Standard, lassen Sie uns einen Planeten mit mehr Öl zukommen.

Mal abgesehen davon, dass der Anbieter im Fall „Erde“ wahrscheinlich sagen würde, der Schadensfall sei erst durch unsachgemäßen Gebrauch des Produkts eingetreten: So geht es natürlich nicht. Wir wissen alle, dass es Dinge gibt – Beziehungen, Kinder, Demokratie, Umwelt –, an denen es sich zu arbeiten lohnt. Der Schreibtischstuhl und das Handy gehören allerdings nicht dazu. Deshalb kann man in einem Reklamationsvorgang auch etwas anderes sehen als bloßes Anspruchsdenken. Nämlich einen Akt der Notwehr, eine Revolte. In der Reklamation wird das Drama sichtbar, das sich im Untergrund der Konsumgesellschaft abspielt: Hier lehnen wir uns dagegen auf, dass man uns unserer letzten Freizeit beraubt, unsere privaten Bedürfnisse ausbeutet und uns unter der Hand zu unbezahlten Angestellten macht. Der Tourist, der hundertfünfzig Angebote gecheckt hat und, kaum aus dem Urlaub zurückgekehrt, Regress fordert, der Bankkunde, der bei einem namhaften Geldinstitut zwanzig Cent ungerechtfertigt abgebuchter Zinsen anmahnt: das sind genervte, überforderte Profikäufer, das ist, liebe Unternehmen, die Konsequenz Ihres eigenen Handelns.

Jetzt sagen Sie nicht, das alles sei vom Kunden so gewollt. Man kann sich diesem System nicht verweigern – irgendwann werden Sie Ihre Regale nicht selbst einscannen dürfen, sondern müssen; und ich vermute, es wird mich niemand fragen, ob ich meine Steuererklärung wirklich elektronisch machen will. Das Einzige, was man tun kann, ist, den digitalen, sprechenden Turbokaffeeautomaten zurückzubringen und sich eine von diesen italienischen Espressokannen zu kaufen, die in vollendeter Schlichtheit Generationen überdauert haben. Solange es die noch gibt.

Teil 1

5 **Die Autorin betont, dass der Reklamationsvorgang heute**

- a eine geringere Bedeutung hat als früher.
- b fester Bestandteil des Kaufs ist.
- c mehr Geduld denn je erfordert.
- d von Wirtschaftszweigen kritisiert wird.

6 **Beim Umtausch von gerade neu gekaufter Ware verhält sich die Autorin**

- a eher beharrlich.
- b eher gleichgültig.
- c eher provozierend.
- d eher vorsichtig.

7 **„Reklamationswahn" wird bei der Autorin ausgelöst, wenn sie**

- a besonders viele Reklamationen hinter sich gebracht hat.
- b eine Beschwerde erfolgreich durchgesetzt hat.
- c ein Gefühl von Hilflosigkeit gegenüber dem System überkommt.
- d sogar eine Mathearbeit reklamieren könnte.

8 **Der Akt des Reklamierens bedeutet in den Augen der Autorin nichts anderes als**

- a das Recht auf unbeschädigte Produkte einzufordern.
- b seinen Ansprüchen Folge zu leisten.
- c sich gegen Ungerechtigkeiten zu wehren.
- d sich unter irgendeinem Vorwand beklagen zu können.

9 **Die Autorin findet, dass die Unternehmen**

- a die Bedürfnisse der Kunden nicht wahrnehmen.
- b die zahlreichen Reklamationen verhindern könnten.
- c ihre eigenen Angestellten zu Profikäufern erziehen.
- d selbst die Schuld für die Beschwerden der Kunden tragen.

10 **Die Autorin plädiert dafür, dass der Kunde**

- a die veränderte Konsumgesellschaft ignorieren soll.
- b sein Recht auf Reklamation ausschöpfen soll.
- c sich auf Altbewährtes zurückbesinnen soll.
- d sich seiner neuen Rolle stellen soll.

Teil 2

Dauer: 20 Minuten

Sieben der folgenden Aussagen entsprechen dem Inhalt des Artikels „*Terra Preta* – Wundererde im Test“. Ordnen Sie die Aussagen den jeweiligen Textabschnitten **11–16** zu. Eine Aussage ist bereits als Beispiel markiert und zugeordnet. Zwei Aussagen passen nicht. Markieren Sie Ihre Lösungen auf dem **Antwortbogen**.

Beispiel:

0 Der fruchtbare Humus ist auch in weniger gehaltvollen Böden zu finden.

Aussagen:

A Versuche rund um die Wundererde werden auch von der Politik unterstützt.

B Die Rezeptur der *Terra Preta* kommt durch luftdichte Lagerung unterschiedlicher Stoffe zustande.

C Kohle für die Masse herzustellen ist nur bedingt Kosten deckend.

D Die Anreicherung von Mikroorganismen wirkt sich positiv auf die Nährstoffspeicherung aus.

E Forscher glauben, die Verwertung menschlicher Ausscheidungen sei Erfolg versprechend.

F Durch den Gärungsprozess werden unangenehme Gerüche beseitigt.

G Die Herstellung von Holzkohle gefährdet auf lange Sicht die Umwelt.

H Der CO_2-Gehalt im Boden wird durch die Benutzung von Humus vermindert.

Teil 2

Terra Preta – Wundererde im Test

Seit einiger Zeit erforschen die Geografen und Biologen aus der Arbeitsgruppe Geoökologie der Freien Universität Berlin die *Terra Preta*, ein fruchtbarer Humus der indigenen Bevölkerung Südamerikas, der als vielseitiger Retter zerstörter Böden gepriesen wird. Denn es ist unumstritten, dass die Verarmung, Verwitterung und Vergiftung landwirtschaftlicher Nutzflächen eines der gravierendsten Ressourcenprobleme ist: Vielerorts sind weite Ländereien ausgelaugt oder vom Winde verweht, geht der Boden schneller verloren, als er sich erneuern kann. Oft ist dies eine Folge schierer Not, weil arme Bauern Wälder roden und ihre Felder übernutzen. Aber auch der industrielle Intensivanbau verzehrt seine eigene Grundlage, immer neue Mengen Kunstdünger übertünchen das nur. Zudem werden Phosphat und Erdöl – Grundlage der Düngerproduktion – weltweit knapper und teurer.

0 Der fruchtbare Humus ist auch in weniger gehaltvollen Böden zu finden.

Seit in der Klimadebatte auch der Stellenwert des Bodens als CO_2-Speicher Beachtung findet, beschäftigen sich Wissenschaftler stärker mit seiner Wiederherstellung und Pflege. Und so neuerdings mit *Terra Preta*. Bei der Suche nach Lösungen erinnerten sich einige Experten an Beobachtungen aus Brasilien. Dort hatte man in den Ebenen des Amazonas Flecken fruchtbaren Bodens gefunden. Eine tiefschwarze, kohlenstoffreiche Erde, die seit vielen Jahrhunderten reiche Ernten hervorbringt. Eigentlich ein Rätsel, denn die Böden im tropischen Regenwald sind meist karg und nährstoffarm. Blätter und Äste im feuchtheißen Klima verrotten rasch, ohne Humus zu bilden; die Überreste werden vom vielen Regen fortgespült oder von anderen Pflanzen aufgebraucht. Außerdem liegt die *terra preta do indio* – portugiesisch für „schwarze Erde" – außerhalb der fruchtbaren Überschwemmungsgebiete großer Flüsse.

11 Anders als natürliche Schwarzerden wie etwa in der Ukraine musste sie von Menschen gemacht sein. Aber wie? Da konnten Bodenkundler von Archäologen lernen. Die hatten sich gefragt, wie die Reiche am Amazonas, von denen portugiesische Konquistadoren einst berichtet hatten, Hunderttausende Einwohner ernährt haben sollen. Tonscherben im Erdreich wiesen darauf hin, dass die Indios in großen Gefäßen einen geheimnisvollen Dünger angerichtet haben könnten: Sie sollen darin Reststoffe aus der Landwirtschaft, Fäkalien von Mensch und Tier sowie Lebensmittelabfälle unter Luftabschluss fermentiert haben.

12 Als das Besondere der Anbautechnologie gilt die Beimischung zerkleinerter Holzkohle. Die bringe nicht nur dauerhaft CO_2 in den Boden, sagt Haiko Pieplow, Bodenkundler im Bundesumweltministerium. Ihre poröse Oberfläche biete auch zahlreichen Mikroorganismen Unterschlupf. Eine spezielle Mischung aus Pilzen und Bakterien, mit der sich die Biokohle der Indios „auflud", sei das eigentliche Geheimnis der *Terra Preta*, sagt er. Sie fixiere Nährstoffe, die nicht mehr so leicht weggewaschen werden könnten, und mache sie für Pflanzenwurzeln besser verfügbar.

13 Aber kann das *Terra-Preta*-Prinzip sinnvoll auf andere Weltregionen, Böden und Klimazonen übertragen werden? Einige Bauern probieren das praktisch aus. Im Rosenheimer Projekt etwa stiegen sie zunächst vom Kompostieren auf die Herstellung sogenannter Bokashi um. Hierbei werden Gülle und Biomasse mithilfe „effektiver Mikroorganismen" (EM) milchsauer vergoren. Bokashi verliere so nicht nur den üblen Fäulnisgeruch, es blieben auch mehr Nährstoffe erhalten, behauptet der bayerische Agrarberater Christoph Fischer. Zur Stabilisierung des Effektes setzte sein Bauern-Kreis als nächsten Schritt Holzkohle bei. Sie werde Teil des Dauerhumus und werde nicht abgebaut. Erste Erfahrungen mit dieser Chiemgauer *Terra Preta* seien vielversprechend, meint Fischer.

14 Wissenschaftlich umfassend geklärt ist der *Terra-Preta*-Effekt aber noch nicht. Auch der Berliner Experte Konstantin Terytze ist skeptisch. Kritisch sieht er die Wirtschaftlichkeit: Die Produktion der Biokohle in Pyrolyse-Anlagen ist teuer, jedenfalls wenn sie dezentral zur Verwertung von Reststoffen eingesetzt und nicht als Massenprodukt vermarktet werden soll. Denn im großen Stil drohe Raubbau im Namen des Klimaschutzes: „Wir dürfen keine intakten Waldflächen verkoksen, um unsere Böden anzureichern!", warnt Terytze. Die Sorge ist berechtigt. Simple Holzkohle zum Unterpflügen wird, besonders in den USA, schon massenhaft als schneller CO_2-Speicher propagiert. Fraglich sei zudem, ob die *Terra Preta* „auch langfristig wirkungsvoll und wirklich immer besser ist als andere Substrate".

15 Im Keller eines alten Werkstattgebäudes vergleichen die Wissenschaftler der Freien Universität Berlin nun *Terra-Preta*-Varianten untereinander und mit diversen Kompostmischungen. Im Frühjahr wollen sie sie auf Versuchsfeldern mit Tabak, Zucchini, Tomaten und anderen Pflanzen erproben: Soll die *Terra Preta* eher punktförmig ausgebracht werden oder flächig? Wie viel Kohle ist optimal? Welche Nebenwirkungen oder Schädlinge tauchen auf? Wie verändert das Größenwachstum die Qualität der Pflanzen und Früchte? Welche Substratmischung taugt für welche Pflanzen? Finanziert wird das Ganze von der EU und dem Berliner Umweltsenat.

16 Die größte Zukunftschance sieht Haiko Pieplow aus dem Umweltministerium darin, *Terra Preta* in geschlossenen Stoffströmen herzustellen, die Abwässer für die Bodenfruchtbarkeit nutzen. Die wertvollen Nährstoffe, die auch in menschlichen Fäkalien enthalten sind, würden derzeit über Schwemmkanalisationen und Müllverbrennung »vollkommen verschwenderisch vernichtet«, sagt Pieplow. Warum nicht Stickstoff, Phosphat und Kalium zurück in den Kreislauf führen?

Teil 3

Dauer: 25 Minuten

Lesen Sie die folgende Reportage, aus der Textabschnitte entfernt wurden.
Setzen Sie die Abschnitte in den Text ein (17–22). Ein Textabschnitt passt nicht.
Ein Abschnitt ist bereits als Beispiel eingefügt. Markieren Sie Ihre Lösungen auf dem **Antwortbogen**.

Das langsamste Konzert der Welt

Wer nach Halberstadt in Sachsen-Anhalt fährt, zur fast leeren St.-Burchardi-Kirche, und dort einfach nur dem Klang lauscht, der könnte glauben, die Zeit stünde still. Ein stetiger Akkord dringt aus den Orgelpfeifen, pausenlos, rund um die Uhr. Das langsamste Konzert der Welt, ein Standbild.

Beispiel: Textabschnitt 0

Der Eindruck täuscht. Auf St. Burchardi steht die Zeit nicht still. Sie rast seit jenem Abend vor fast zehn Jahren, an dem sich eine feierlich gestimmte Menge in der Ruine versammelt hatte, um den Beginn einer musikalischen Aufführung zu erleben, die in der Geschichte ohne Beispiel ist: ein kurzes Orgelstück so zu spielen, dass es länger dauert als ein Menschenleben.

Die Interpretation ist angelegt auf 639 Jahre. Manch einer tippte sich damals gegen die Stirn: Selbst wenn kein Organist auf einer Bank sitzt, sondern Sandsäckchen die Tasten fixieren – wie will man das durchhalten? Und wer soll das hören? Was für ein Quatsch! Und nun sind zehn Jahre herum. Die Orgel tönt immer noch Tag und Nacht, ohne dass es eine Unterbrechung gegeben hätte. Der Ansturm auf St. Burchardi ist groß.

17 Textabschnitt

Der Legende nach war es ein Stück für einen Schüler, der vorspielen sollte. Cage, der Anarchist, der als Prüfung allein das Schicksal akzeptierte, soll dem Zögling die Spielanweisung *„as slow as possible"* mit auf den Weg gegeben haben, *so langsam wie möglich,* um ihm die Sache zu erleichtern. Das Halberstädter Projekt erwuchs aus der Frage: „Was heißt *so langsam wie möglich* für ein Orgelstück?", und es entwickelte sich eine langwierige Diskussion zu dieser Frage.

18 Textabschnitt

Die Wände sind fleckig und abgeschilfert; durch die Fenster fällt schwaches Licht, die Bäume davor schwenken ihr Laub, es zieht. Momentan ertönen in diesen Gemäuern as', a', c" und fis"; schließt man die Augen, setzt sich der ätherische Akkord in Bewegung, scheint zu schwanken, zu flirren, einen Rhythmus zu entfalten. Manche Hörer lassen sich abends einen Schlüssel geben und verbringen Stunden hier.

19 Textabschnitt

Auch Tiere kämen, aber nicht immer hinein: „Man sieht, welche Hunde aus Musikerfamilien stammen, die machen alles mit. Die anderen Hunde hören den Ton, kneifen den Schwanz ein und warten an der Tür, obwohl sie eigentlich doch reinwollen, weil es hier so toll riecht, war ja mal ein Schweinestall." Frau Dannenberg ist die einzige bezahlte Mitarbeiterin der John-Cage-Orgel-Stiftung; alle anderen Mitstreiter in Vorstand, Kuratorium und wissenschaftlichem Beirat sind ehrenamtlich tätig.

20 Textabschnitt

So ist das Halberstädter Langzeitorgeln begleitet von persönlichen Geschichten. Auch das Projekt selbst hat inzwischen Geschichte, die unterschiedlich erzählt und gedeutet wird. Einige Gründerpersonen sind verstorben wie der Stadtpräsident Johann-Peter Hinz, der den Halberstädter Rat für das Projekt gewann, oder der Berliner Musikpublizist Heinz-Klaus Metzger, der Cage persönlich gekannt hatte. Manche sind im Streit ausgeschieden, wie der Tunnelbauingenieur Michael Betzle, der zu Beginn immer eine Fuhre Kies hatte, wenn man sie brauchte.

21 Textabschnitt

Stundenlang kann man sich mit ihm über die Feinheiten der Aufführung unterhalten und über alles andere auch, ganz entspannt, denn „die Welt ist groß genug, dass wir alle darin unrecht haben können!" Der Satz sei übrigens von Arno Schmidt. Dem Kuratoriumsvorsitzenden Neugebauer schräg gegenüber wohnt und arbeitet der Architekt Christof Halleger, der mit einem Förderverein Geld für das Projekt einwirbt. Die beiden reiferen Herren sind entschlossen, die Aufführung fortzusetzen, solange sie können.

22 Textabschnitt

Denn wenn es kein Theater, keine Oper, kein Ballett mehr gibt, wenn die Straßenbahn stillgelegt wird, dann wird die Stadt schon gar keine neuen Bürger anlocken.
Zu Cage aber kommen sie, aus Amerika, aus Kanada, aus Österreich; vier Filme sind inzwischen entstanden, ein Buch. „Das John-Cage-Projekt ist immer im Fokus von irgendjemandem gerade", sagt Christof Halleger. Und wie alle anderen glaubt auch er, dass es nur durch den besonderen Geist von Halberstadt existiert.

0

Der Eindruck täuscht. Auf St. Burchardi steht die Zeit nicht still. Sie rast seit jenem Abend vor fast zehn Jahren, an dem sich eine feierlich gestimmte Menge in der Ruine versammelt hatte, um den Beginn einer musikalischen Aufführung zu erleben, die in der Geschichte ohne Beispiel ist: ein kurzes Orgelstück so zu spielen, dass es länger dauert als ein Menschenleben.

A

Die Zahl derer, die für sich in Anspruch nehmen, die Frage als Erster gestellt zu haben, ist über die Jahre größer geworden. Ein Kind des Zufalls mit vielen möglichen Vätern – wenn das keine Zukunft hat! Besucht man St. Burchardi unter der Woche, kann man den Klang zumeist in Ruhe genießen. Man sieht das Mauerwerk der tausend Jahre alten Kirche, die einst zu einem Kloster zählte, unter Napoleon säkularisiert wurde und nach dem Zweiten Weltkrieg als Schweinestall diente.

B

Mehr und mehr Besucher strömen in die täglich außer montags geöffnete Ruine, und jeder der seltenen Tonwechsel wird in öffentlicher Veranstaltung zelebriert. Die Skeptiker sind müde geworden. Aber darf man von einem Erfolg sprechen? Was sind schon zehn Jahre, wenn 629 bleiben? Gegeben wird ein Werk von John Cage, einem Amerikaner, der nie in Halberstadt war. Im Jahre 1985 komponierte er nach dem Zufallsprinzip zunächst eine Klavierfassung.

C

Den gelegentlichen Spott aus der Stadt – „das sind die verrückten Millionäre vom Domplatz, die da tuten" – ertragen die Männer mit Fassung und einem gewissen Stolz.

Halberstadt kann solches Engagement gut brauchen. Die kleine Fachwerkstadt steckt in einer großen Finanzkrise. Unternehmen schließen, Bevölkerung wandert ab, und gerade weiß keiner, wie man all das bezahlen soll, was den Ort über den Durchschnitt hebt.

D

Es braucht also sehr viel Enthusiasmus dafür, denn das Projekt lebt allein von Spenden. Frau Dannenberg ist über die Jahre immer begeisterter geworden. An ihren freien Tagen, erzählt sie, lasse sie zu Hause Wasser in die Wanne und nehme ein entspannendes Bad. Dazu höre sie die CD-Kurzfassung des längsten Konzertes der Welt, aufgenommen auf einer Orgel aus dem Jahre 1746. „Leiser!", würde ihr Mann dann schon mal rufen, oder: „Tür zu!" Dabei zeige er sonst viel Verständnis.

E

Das Geld kommt dem Projekt zu Gute, obwohl es wahrscheinlich auch ohne die monitäre Unterstützung des Architekten bestehen würde. St. Burchardi lockt wie viele andere kulturelle Projekte in Halberstadt zahlreiche Touristen aus ganz Deutschland an. Der Bürgermeister sagt den Städtern eine rosige Zukunft voraus. Durch St. Burchardi würden mehr und mehr Menschen auf Halberstadt aufmerksam.

F

Andere haben sich hinzugesellt wie der Geschichtsdidaktiker und Sozialwissenschaftler Rainer Neugebauer, der als Gründungsdekan der Hochschule Harz nach Halberstadt kam. Neugebauer, der am Domplatz in der früheren Stadtbibliothek zwischen 25.000 eigenen Büchern lebt, ist zurzeit eine treibende Kraft des spirituell-philosophischen Projektes. Mit dröhnender Stimme aus rauschendem Bart zitiert er Walter Benjamin: „Immer radikal, niemals konsequent."

G

Margot Dannenberg, die Hausmeisterin auf St. Burchardi, weckt in Zögerlichen, die „nur mal so" vorbeikommen, erste Begeisterung, und die schon Neugierigen füttert sie mit immer neuen Cage-Geschichten. Journalisten und Fernsehteams entzückt sie mit Anekdoten aus dem laufenden Betrieb. Kirchenchöre seien schon da gewesen, hätten spontan zum Akkord gesungen. Und dann eine Dame, die sei 103 gewesen. „Und gestern eine Gruppe Motorradfahrer, rustikale Jungs, etwas älter, man sah es am Kaufpreis der Maschinen, aus Frankfurt am Main, die waren extra hergefahren!"

Teil 4

Dauer: 10 Minuten

Sie interessieren sich für ein Fortbildungsseminar zum Thema „Schlüsselqualifikationen".

Verschaffen Sie sich schnell einen Überblick über die vier Angebote. Zu welcher Anzeige (A, B, C, D) passen die Aussagen 23–30? Auf eine Anzeige können mehrere Aussagen zutreffen, aber es gibt nur eine richtige Lösung für jede Aussage. Markieren Sie Ihre Lösungen auf dem **Antwortbogen**.

0 ___A___ In diesem Seminar wird vor allem anhand von Gruppenübungen gearbeitet.

23 ________ Im Seminar werden persönliche Berufsziele durch eine individuelle Fähigkeitsanalyse bestimmt.

24 ________ Die TN-Zahl ist begrenzt, um eine individuelle Beratung zu ermöglichen.

25 ________ Thema des Seminars ist unter anderem der effektive Einsatz von Körpersprache.

26 ________ Realitätsnahe Szenen werden simuliert und aufgenommen.

27 ________ Der Fokus des Seminars liegt auf Lösungsstrategien in schwierigen Situationen.

28 ________ Ziel in diesem Seminar ist es, die Persönlichkeit durch die Artikulation zu stärken.

29 ________ Das Seminar muss vor Veranstaltungsbeginn bezahlt werden.

30 ________ Nach dem Seminar kann man sich persönlich mit dem Seminartrainer treffen.

TEXT A

Training für mehr Selbstsicherheit und Ausstrahlung

16.–17.09.
9–16 Uhr

Sprechen ist das zentrale Medium der menschlichen Kommunikation. Stimme, Tonlage und Art des Sprechens bestimmen sehr wesentlich den Auftritt und die Wirkung eines jeden Menschen.

Dennoch wird auf das so wichtige Wie des Sprechens meist viel weniger geachtet als auf das Was, d. h. den Sprachinhalt. Aber eine klare Sprache ist die Basis jeder wirkungsvollen Botschaft und Verständigung – bei der beruflichen Kooperation, bei Diskussionen und Vorträgen ebenso wie bei persönlichen Kontakten und Absprachen.

Der Kurs „Training für mehr Selbstsicherheit und Ausstrahlung" bietet Anregungen und Übungen zur Verbesserung der Stimme, Atmung und Aussprache.

Mit weniger Anspannung oder Nervosität und mehr sprachlicher Sicherheit erleichtern Sie sich nicht nur jeden Auftritt, sondern machen auch einen besseren Eindruck.

Inhalte
- Gehörschulung und Sprachbewusstsein
- richtige Atmung und Sprachmodulierung
- Sprachpflege, Sprechgeschwindigkeit
- bessere Aussprache im Gespräch, am Telefon, bei Vorträgen

Methoden
- Kurzvorträge zum theoretischen Verständnis
- praktische Demonstrationen
- persönliche Rückmeldung und Anleitung
- Gruppenübungen, Feedback und Umsetzungshilfen

Veranstaltungsort: Tagungshaus „Alte Feuerwache e.V." (mit einfacher Unterkunft und Verpflegung), Axel-Springer-Str. 40–41, 10969 Berlin

Anmeldung bitte bis spätestens drei Wochen vor Veranstaltungsbeginn. Mit der Anmeldebestätigung erhalten Sie die Rechnung für das Seminar. Vor Beginn des Kurses – spätestens mit Beginn der Fortbildung muss diese beglichen werden.

TEXT B

Coaching im Beruf

23.–24.09. in Bonn

Coaching bedeutet Beratung und Begleitung in herausfordernden beruflichen Situationen. Dies kann die persönliche Berufsfindung und die Begleitung zum richtigen Job sein oder die Unterstützung bei der beruflichen Veränderung. Schwerpunkt des Seminars ist die Förderung und Verbesserung der beruflichen Kompetenzen und Leistungsfähigkeit im bestehenden Job oder die Bearbeitung schwieriger Problem- und Entscheidungssituationen.

Das Seminar richtet sich an Personen, die den häufig schwierigen Hindernislauf von Veränderung und Weiterentwicklung mit externer Unterstützung bewusst gestalten und in die Praxis umsetzen wollen.

Individuelles und begleitendes Coaching

Jeder Teilnehmer hat die Möglichkeit, innerhalb der Gruppe ein Coaching in Anspruch zu nehmen, um mit dem Trainer sein eigenes Thema zu bearbeiten. Im Spiegel der Kleingruppe können die Ergebnisse zusätzlich reflektiert und auf ihre Realisierbarkeit überprüft werden. Es können nur maximal 7 Personen teilnehmen, um jedem ein persönliches Gespräch mit dem Seminarleiter zu ermöglichen. Vertraulichkeit ist selbstverständlich und wird mit allen Teilnehmern bei Seminarbeginn vereinbart.

Es gibt das Angebot, sich im Anschluss an das Seminar vom Coach zwei Monate weiter begleiten zu lassen, auf Wunsch kann man auch ein persönliches Gespräch mit dem Coach in Düsseldorf buchen (Zusatzkosten 110 EUR).

Veranstaltungsort: Bildungszentrum des Wissenschaftsladen Bonn e.V., Reuterstr. 233, 53113 Bonn

TEXT C

Der Weg zum Erfolg führt über die eigenen Stärken!

12.–13.11. in Berlin

Wer seine persönliche Stärken und Kompetenzmerkmale genau kennt und einsetzen kann, hat die besten Chancen, eine befriedigende Arbeit mit beruflichem Erfolg zu verbinden. Dieses Seminar hilft, Ihre wichtigsten Ressourcen, Fähigkeiten und persönlichen Kraftquellen herauszuarbeiten und daraus berufliche Ziele und Erfolg versprechende Tätigkeitsfelder abzuleiten. Die Konkretisierung beruflicher Ziele im Einklang mit den eigenen Stärken und Wünschen kann bei der Jobsuche oder im Rahmen der Karriereplanung einen klaren Weg weisen. Das Seminar kombiniert Bausteine aktueller berufsberatender Diagnostik mit ressourcenorientierten psychologischen Ansätzen. Die Bestandsaufnahme der Fähigkeiten, Kompetenzen und Stärken soll das individuelle Potenzial deutlich machen und gleichzeitig eine berufsstrategische Motivation aufbauen. Daran anknüpfend werden Methoden für Selbstmanagement bei Umsetzung der beruflichen Ziele vorgestellt und die nächsten Arbeitsschritte geplant.

Inhalte
- Einführung und Bestandsaufnahme
- Gezielte Stärkenanalyse
- Kontakt- und Netzwerkanalyse
- Motivatoren- und Stärkenprofil
- Entfaltungsmöglichkeiten, Tätigkeitsvisionen
- Zielplanung und Umsetzungsstrategien durch Selbstmanagement

Arbeitsweisen
- Einzel- und Gruppenarbeit
- Kreativtechniken, unter anderem Mind Map
- Präsentation und Feedback

Coachingbegleitung nach Beendigung des Seminars
Jeder Teilnehmer kann sich im Anschluss an das Seminar bei der beruflichen Entwicklung von der Seminarleiterin als Coach per Telefon, Fax oder E-Mail weiter begleiten lassen. Dieses Coaching kann mit der Seminaranmeldung oder auch am Ende des Seminars gegen eine Zusatzgebühr gebucht werden und gilt für den Zeitraum von zwei Monaten.

Veranstaltungsort: Tagungshaus „Alte Feuerwache e.V." (mit einfacher Unterkunft und Verpflegung), Axel-Springer-Str. 40–41, 10969 Berlin

Schriftliche Anmeldung bitte bis spätestens zwei Wochen vor Veranstaltungsbeginn. Mit der Anmeldebestätigung erhalten Sie die Rechnung für das Seminar. Die endgültige Teilnahmebestätigung mit Wegbeschreibung erfolgt nach Zahlungseingang etwa eine Woche vor Veranstaltungsbeginn.

TEXT D

Rhetorik und persönliche Profilentwicklung

09.–10.12. in Berlin

Nur wer selbstsicher reden und auftreten kann, stellt sich und seine Sache angemessen dar. Im Rahmen von Informations- oder Bewerbungsgesprächen, Kooperationskontakten oder Präsentationen ist es nötig, dass Sie Ihre Kompetenz deutlich machen und sich von Ihrer besten Seite zeigen. Denn die Person ist die Botschaft. Wodurch Sie Kompetenz ausstrahlen, welche Elemente neben der Sprache noch dazugehören, damit Sie authentisch und überzeugend wirken, ist Inhalt des Seminars. Wir werden uns damit beschäftigen, wie wichtig der Aufbau eines Sympathiefeldes ist und was Sie dafür tun können. Anhand von Situationen aus Ihrer Praxis, die wir auf Video aufzeichnen, werden wir unser Verhalten bewerten und Änderungen trainieren und reflektieren.

Inhalte
- Kurzreden und Statements gestalten
- Kompetenz ausstrahlende Sprache
- non-verbale Signale und positive Ausstrahlung
- Inhalte adressatenorientiert vermitteln

Arbeitsweisen
- Theorievermittlung durch Kurzreferate
- Trainings zu konkreten Situationen aus dem Alltag der Teilnehmenden
- Kreativitäts- und Entspannungsübungen
- Videoaufnahmen mit Feedback

Teilnehmerzahl: max. 15

Anmeldeschluss: 19. September

Darüber hinaus

Übungen zum Wortschatz und zur Grammatik des Moduls Lesen

1 **Ergänzen und erweitern Sie das folgende Wortfeld zum Thema „wissenschaftliches Arbeiten" in dem vorgegebenen Raster.**

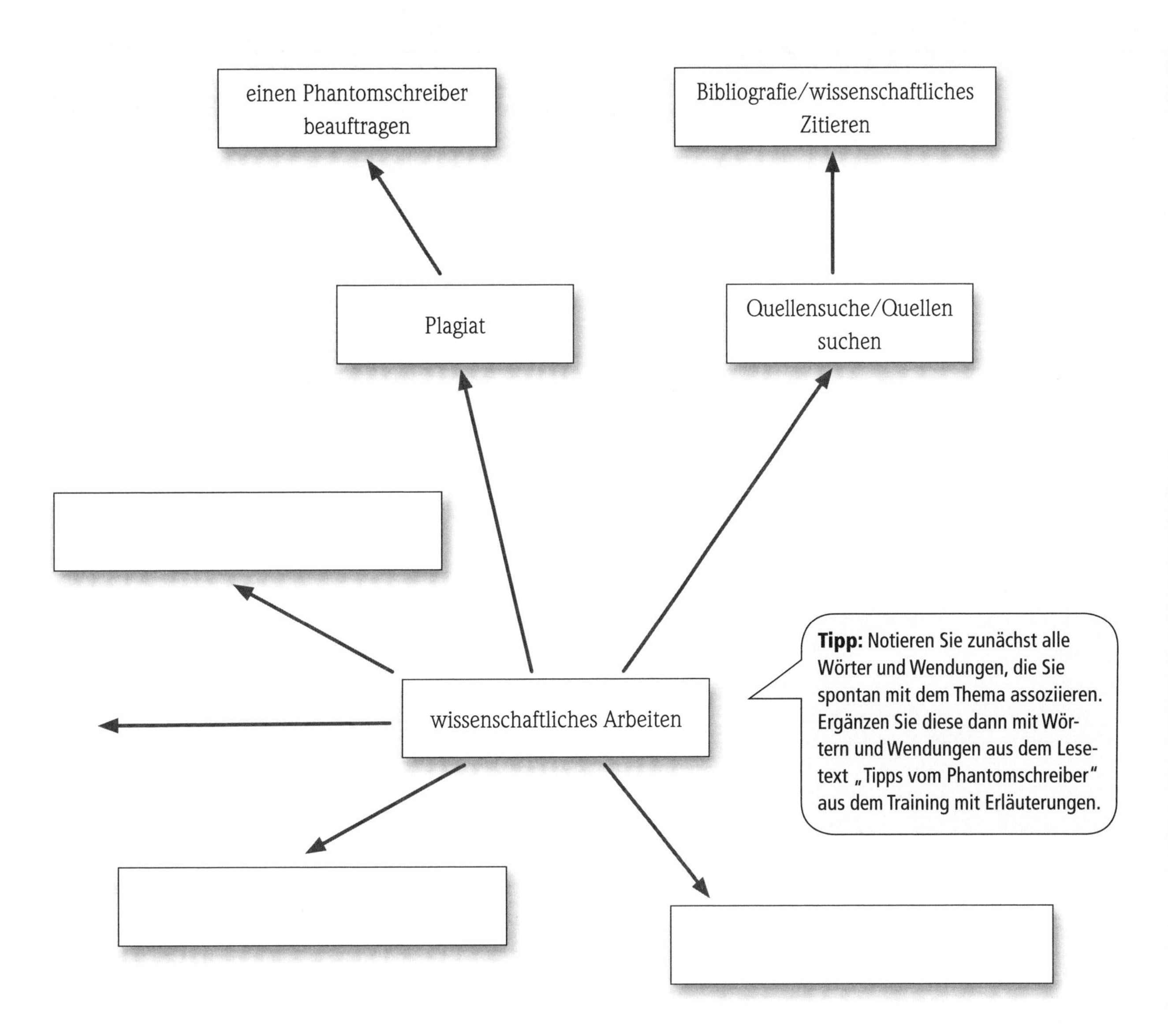

2 **Ergänzen und erweitern Sie das folgende Wortfeld zum Thema „Konsumverhalten" in dem vorgegebenen Raster. Lesen Sie dazu auch den Text „Reklamieren Sie – das ist Ihr gutes Recht" (Probeprüfung).**

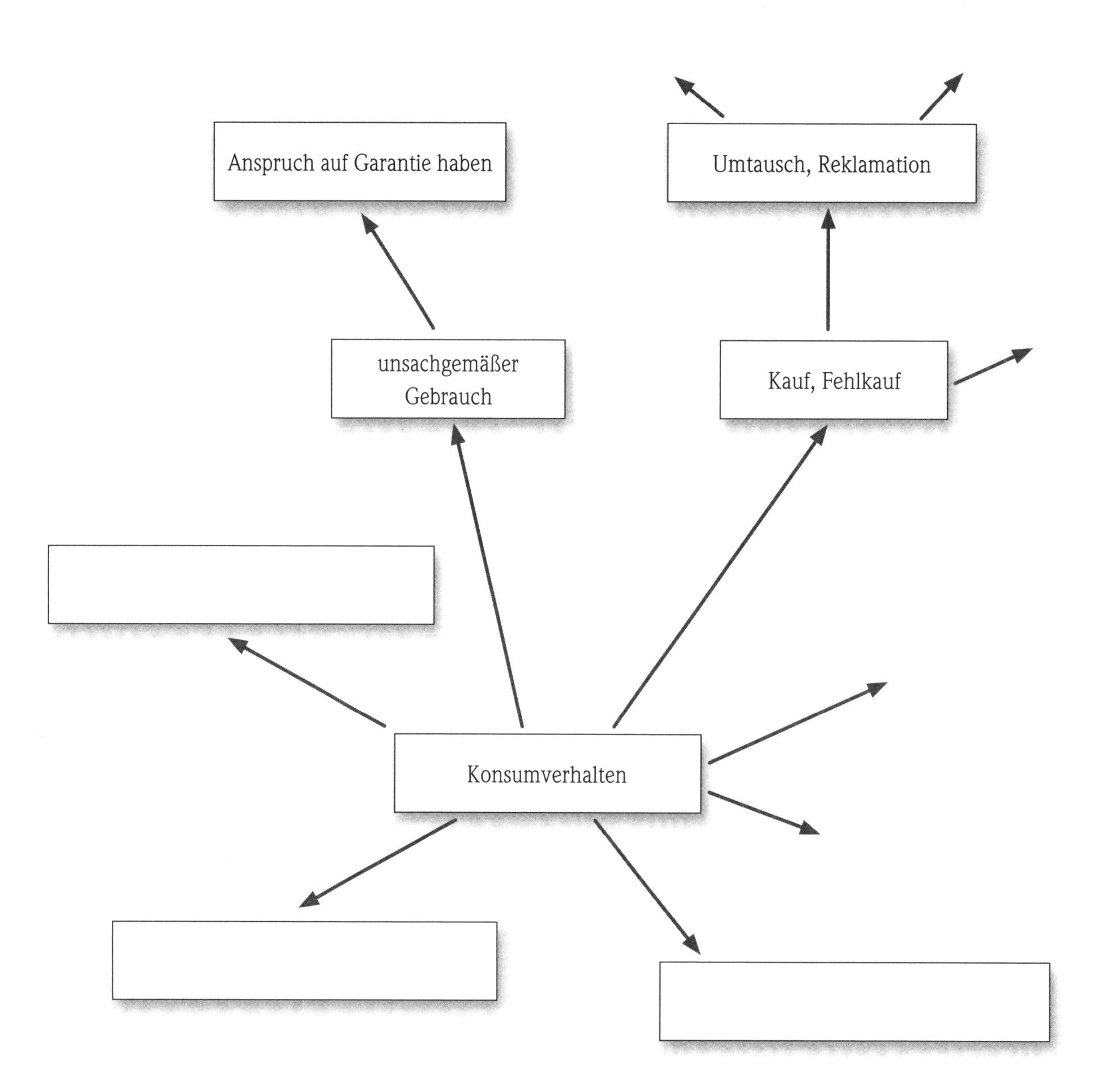

3 Hier finden Sie Sätze aus den Texten „Fledermäuse hören, wo der Nektar fließt" und „*Terra Preta* – Wundererde im Test". Erklären Sie die unterstrichenen Wörter beziehungsweise Wendungen nach ihrer Bedeutung im Text mit Synonymen oder mit Ihren eigenen Worten.

Tipp: Es gibt immer mehrere Möglichkeiten, an diese Aufgabe heranzugehen. Eine mögliche Lösung zu a wäre zum Beispiel: Wie bei einem echten Konzert erleben die Fledermäuse die Ultraschalllaute der tropischen Kletterpflanze als etwas sehr Schönes, was sie begeistert oder entzückt.

a Fledermäuse sind ganz angetan vom Ultraschallkonzert der tropischen Kletterpflanze.

b *Marcgravia evenia* ist also evolutionsbiologisch betrachtet ein cleveres Gewächs.

c Blumenfledermäuse statten in den Tropen jede Nacht Hunderten von Gewächsen einen Besuch ab, um ihren Energiebedarf zu decken.

d Die Biologen sind überzeugt, dass weitere Pflanzen auf ähnliche Lockmanöver setzen.

e Seit einiger Zeit erforschen die Geografen und Biologen aus der Arbeitsgruppe Geoökologie der Freien Universität Berlin die *Terra Preta*, einen fruchtbaren Humus der indigenen Bevölkerung Südamerikas, der als vielseitiger Retter zerstörter Böden gepriesen wird.

f Vielerorts sind weite Ländereien ausgelaugt oder vom Winde verweht, geht der Boden schneller verloren, als er sich erneuern kann.

Darüber hinaus

g Oft ist dies eine Folge schierer Not, weil arme Bauern Wälder roden und ihre Felder übernutzen. Aber auch der industrielle Intensivanbau verzehrt seine eigene Grundlage, immer neue Mengen Kunstdünger übertünchen das nur.

______

______

______

______

h Im Rosenheimer Projekt etwa stiegen sie zunächst vom Kompostieren auf die Herstellung sogenannter Bokashi um.

______

______

______

4 Lesen Sie die folgenden Textabschnitte aus den Texten „Babylonisches Sprachengewirr" und „Das langsamste Konzert der Welt". Worauf beziehen sich die unterstrichenen Wörter oder Satzteile? Markieren Sie wie im Beispiel.

Babylonisches Sprachengewirr
[...] inzwischen haben sich die EU-Politiker längst an den Luxus gewöhnt, im Sitzungssaal zu den Kopfhörern zu greifen und ihre Muttersprache zu hören. „Damit die Kosten nicht explodieren, haben wir 2004 ein kostenpflichtiges System eingeführt", erklärt Ian Andersen von der Generaldirektion Dolmetschen [...]
Seither bietet seine Abteilung nur noch die wichtigsten Sitzungen in allen 23 Sprachen an. Wer zusätzlichen Sitzungen in seiner Muttersprache folgen möchte, muss bezahlen. Bei vielen Ländern ging die Nachfrage daraufhin spürbar zurück, sie schauten genau, bei welchen Sitzungen sie sparen konnten. „Allmählich steigt die Nachfrage aber wieder, weil die Regierungen gemerkt haben, dass es billiger sein kann, in Dolmetscher zu investieren, als seine politische Botschaft nicht präzise rüberzubringen", sagt Andersen. [...]
Deshalb werden auch neunzig Prozent der Treffen des Europaparlaments in mehrere EU-Sprachen übertragen – das bedeutet 110.000 Dolmetschertage pro Jahr.

Das langsamste Konzert der Welt

[...] Frau Dannenberg ist über die Jahre immer begeisterter geworden. An ihren freien Tagen, erzählt sie, lasse sie zu Hause Wasser in die Wanne und nehme ein entspannendes Bad. Dazu höre sie die CD-Kurzfassung des längsten Konzertes der Welt, aufgenommen auf einer Orgel aus dem Jahre 1746. „Leiser!", würde ihr Mann dann schon mal rufen, oder: „Tür zu!" Dabei zeige er sonst viel Verständnis.
So ist das Halberstädter Langzeitorgeln begleitet von persönlichen Geschichten. Auch das Projekt selbst hat inzwischen Geschichte, die unterschiedlich erzählt und gedeutet wird. Einige Gründerpersonen sind verstorben, wie der Stadtpräsident Johann-Peter Hinz, der den Halberstädter Rat für das Projekt gewann, oder der Berliner Musikpublizist Heinz-Klaus Metzger, der Cage persönlich gekannt hatte. Manche sind im Streit ausgeschieden wie der Tunnelbauingenieur Michael Betzle, der zu Beginn immer eine Fuhre Kies hatte, wenn man sie brauchte. Andere haben sich hinzugesellt wie der Geschichtsdidaktiker und Sozialwissenschaftler Rainer Neugebauer, der als Gründungsdekan der Hochschule Harz nach Halberstadt kam.
[...]

5 Formen Sie die Sätze um, indem Sie eine synonyme Wendung gebrauchen. Die Originalsätze finden Sie im Training oder in der Probeprüfung.

Beispiel: Die Online-Enzyklopädie Wikipedia ist da ein erster Schritt, auch wenn es natürlich immer heißt, man solle sie bloß nicht nutzen. → Text Seite 16

Lösung: Die Online-Enzyklopädie Wikipedia ist da ein erster Schritt, auch wenn natürlich immer davon abgeraten wird, sie zu nutzen.

a Die hatten sich gefragt, wie die Reiche am Amazonas, von denen portugiesische Konquistadoren einst berichtet hatten, Hunderttausende Einwohner ernährt haben sollen. → Text Seite 35

b Sie sollen darin Reststoffe aus der Landwirtschaft, Fäkalien von Mensch und Tier sowie Lebensmittelabfälle unter Luftabschluss fermentiert haben. → Text Seite 35

c Die Produktion der Biokohle in Pyrolyse-Anlagen ist teuer, jedenfalls wenn sie dezentral zur Verwertung von Reststoffen eingesetzt und nicht als Massenprodukt vermarktet werden soll. → Text Seite 35

d Die Bestandsaufnahme der Fähigkeiten, Kompetenzen und Stärken soll das individuelle Potenzial deutlich machen und gleichzeitig eine berufsstrategische Motivation aufbauen. → Text Seite 39

e Mehr und mehr Besucher strömen in die täglich außer montags geöffnete Ruine, und jeder der seltenen Tonwechsel wird in öffentlicher Veranstaltung zelebriert. Die Skeptiker sind müde geworden. Aber darf man von einem Erfolg sprechen? Was sind schon zehn Jahre, wenn 629 bleiben? → Text Seite 37

f Bei den medizinischen Fachbegriffen, die auf Griechisch, Portugiesisch oder Slowakisch durch den Raum schwirren, kann auch ein geübter Dolmetscher schnell ins Stolpern geraten. → Text Seite 23

Modul Hören

Prüfungsziel

Prüfungsziel dieses Moduls ist es, komplexe Texte aus Medien, die in authentischem Sprechtempo gesprochen sind, zu verstehen, ohne dabei auf Hilfsmittel zurückzugreifen. Dabei handelt es sich sowohl um monologische (**Teil 1**) als auch um dialogische Texte (**Teil 2** und **3**).
Die Hörtexte basieren auf Radiosendungen, Interviews, Features und dergleichen. Beim Hören werden verschiedene Rezeptionsstile geprüft, die auf das Verstehen von Hauptaussagen und Detailinformationen sowie das Verstehen von explizit und implizit geäußerten Standpunkten und Einstellungen abzielen.

Aufbau und Ablauf

Das **Modul Hören** dauert insgesamt circa 35 Minuten und besteht aus drei Hörtexten, die von einer CD oder MP3-Datei abgespielt werden. Die Länge der Texte beträgt circa 2500 Wörter.

Jeder Prüfungsteil wird durch vorangestellte Textangaben situativ eingebettet.

Prüfungsteile	Textsorte	Aufgabentyp	Zahl der Aufgaben	Wie oft hört man den Text?	Zeit	Punkte
Teil 1	Bericht/ Reportage	Ja/Nein	15 Aussagen	1 Mal	10 Minuten	30
Teil 2	informelles Gespräch	Zuordnung	5 Aussagen	1 Mal	5 Minuten	20
Teil 3	Experteninterview	Multiple Choice (3 Auswahlmöglichkeiten)	10 Aussagen / Fragen	2 Mal	20 Minuten	50

Zeit zum Übertragen auf das Antwortblatt nach Beendigung des gesamten Moduls: 3 Minuten
Insgesamt können im **Modul Hören** 100 Punkte erreicht werden.

Hören: Training mit Erläuterungen

Hören, Teil 1, Beschreibung

(Dauer: circa 10 Minuten)

Aufgabenstellung

Teil 1 des Moduls Hören besteht aus fünf Berichten oder Kurzmeldungen aus Radiosendungen zu verschiedenen Themen, die zwischen 1 und 1,5 Minuten lang sind.
Diese Radioberichte sind überwiegend monologisch strukturiert. Es kann aber auch vorkommen, dass die Meldung als Dialog stattfindet. Alle Texte weisen eine relativ hohe Informationsdichte auf und sind in authentischem Sprechtempo gesprochen. Sie hören die Meldungen einmal.

Vor dem Hören der einzelnen Ausschnitte haben Sie jeweils 15 Sekunden Zeit, um drei Aussagen (Nr. 1–3; Nr. 4–6; Nr. 7–9; Nr. 10–12; Nr. 13–15) zu lesen. Der ersten Kurzmeldung ist ein Beispiel vorgeschaltet (Nr. 0). Die Reihenfolge der Aufgaben mit den jeweils drei Aussagen entspricht dem Textverlauf.

Ziel des Prüfungsteils

In **Teil 1** sollen Sie sowohl Detail- als auch Hauptinformationen verstehen. Zu jedem der fünf Radioauszüge gibt es jeweils drei Aussagen. Sie entscheiden, ob die Aussage richtig oder falsch ist (Ja / Nein).

Bewertung

Für jede richtige Lösung bekommen Sie einen Punkt, d. h. maximal 15 Punkte. Die erreichte Gesamtpunktzahl wird bei der Bewertung mit zwei multipliziert. Insgesamt können Sie beim **Modul Hören, Teil 1** also 30 Punkte erreichen.

Zeitrahmen

Für den gesamten **Prüfungsteil 1** haben Sie circa zehn Minuten Zeit.

Hinweise zum Üben

- Nehmen Sie sich beim ersten Üben genug Zeit, damit Sie die Strategien zur Aufgabenbewältigung, also die Aktivierung Ihres Vorwissens, das Lesen der Aussagen und das Markieren der Schlüsselwörter kennenlernen. Sie sind noch nicht in der Echtprüfung, sondern erst im Training mit Erläuterungen. Erst in der Probeprüfung sollten Sie alles in der vorgegebenen Zeit wie in der richtigen Prüfung machen.

Tipps für das Training

vor dem Hören

- Lesen Sie, worum es in dem Radioausschnitt geht, und stimmen Sie sich gedanklich auf das Thema ein.
- Lesen Sie sich die Aussagen zu der jeweiligen Kurzmeldung vor dem Hören genau durch und markieren Sie Schlüsselwörter.

während des Hörens

- Sie hören erst ein Beispiel.
- Anders als beim Lesen können Sie sich die Zeit beim Lösen der Aufgaben nicht einteilen. Im Training ist es aber nicht schlimm, wenn Sie einige Aufgaben beim Hören nicht direkt lösen können. Hören Sie den Text einfach mehrmals oder halten Sie die CD an besonders schwierigen Stellen an.
- Konzentrieren Sie sich auf die Aussage und die unterstrichenen Schlüsselwörter.
- Hinweis für die Echtprüfung: Wenn Sie nicht verstehen, ob die Aussage richtig oder falsch ist, halten Sie sich nicht zu lange auf, sondern konzentrieren Sie sich auf die nächste Aussage. In der Echtprüfung hören Sie den Text nur einmal.
- Vergessen Sie nicht die Lösungen auf dem **Aufgabenblatt** zu markieren!

nach dem Hören

- Übertragen Sie die Antworten **nicht** nach Ende des jeweiligen Prüfungsteils auf den Antwortbogen, sondern erst am Schluss des gesamten Moduls Hören. Die Übertragung auf den Antwortbogen gilt nur für die Probeprüfung.
- Vergleichen Sie am Schluss Ihre Lösungen mit dem Lösungsschlüssel auf Seite 108 f.

1.2

Teil 1

Dauer: circa 10 Minuten

Sie hören fünf Ausschnitte aus Radiosendungen zu verschiedenen Themen. Zu jedem Ausschnitt gibt es drei Aufgaben. Entscheiden Sie, ob die Aussagen mit dem Textinhalt übereinstimmen oder nicht. Kreuzen Sie an. Sie hören die Texte **einmal**.

1.3

Sie hören einen Ausschnitt aus einem Radiobericht zum Thema „Lügen".

Tipp: Lesen Sie die Aussagen zum Radiobericht und markieren Sie die Hauptidee jeder Aussage. Konzentrieren Sie sich beim Hören vor allem auf diese Hauptaspekte.

1.4

Beispiel:

		Ja	Nein
0	Professor Mecke hat in den USA Psychologie studiert.	☐	☒
1	Psychologe Frazier stellte fest, dass man durchschnittlich zweimal pro Tag lügt.	☐	☐
2	Etwas verschweigen fällt unter die Definition von Lüge.	☐	☐
3	Nur die Wahrheit unterstützt das Zusammenleben in der Gemeinschaft.	☐	☐

1.5

Sie hören einen Ausschnitt aus einer Sendereihe über Lebensmittel.
Hier geht es um das Lupineneis.

		Ja	Nein
4	Die Samen der Süßlupine machen Eis cremiger.	☐	☐
5	Der Anbau der Sojabohne belastet die Umwelt mehr als der von Lupinen.	☐	☐
6	Die Herstellung tierischer Eiweiße erfordert eine größere Ackerfläche als die pflanzlicher.	☐	☐

1.6

Sie hören einen Ausschnitt aus einem Radiobericht, in dem es um Kopiertechniken von Texten geht.

		Ja	Nein
7	Früher hat man mit Durchschlägen wissenschaftliche Arbeiten vervielfältigt.	☐	☐
8	Süße Flüssigkeiten waren früher ein fester Bestandteil des Redigierens.	☐	☐
9	Der Name für Kopien hat sich im Laufe der Zeit geändert.	☐	☐

1.7

Sie hören einen Teil einer Radiosendung zum Thema „Gesundheit".

		Ja	Nein
10	Bewegungsmangel führt bei vielen Menschen zu niedrigem Blutdruck.	☐	☐
11	Bei der Behandlung von Immunsystemschwächen wird oft Evolutionsmedizin eingesetzt.	☐	☐
12	Heutzutage bringen sich manche Menschen in Form wie früher die Jäger und Sammler.	☐	☐

1.8

Sie hören einen Radiobeitrag zum Thema „Studieren im Alter".

		Ja	Nein
13	Die meisten jungen Studenten betrachten das Seniorenstudium mit Skepsis.	☐	☐
14	Zwischen jüngeren und älteren Studenten gibt es eine rege Kommunikation.	☐	☐
15	Die Gasthörerplätze in den Geisteswissenschaften werden künftig reduziert.	☐	☐

Hören, Teil 2, Beschreibung

(Dauer: circa 5 Minuten)

Aufgabenstellung

In **Teil 2** hören Sie ein informelles Gespräch zwischen zwei Personen. Die Konversation dauert circa vier Minuten. Diesen Hörtext hören Sie nur einmal. Die Gesprächsteilnehmer sind Muttersprachler und sprechen in authentischem Tempo. Sie tauschen Meinungen aus und stimmen ihrem Gesprächspartner zu oder nicht. Sie bearbeiten fünf Aufgaben. Es handelt sich hier um eine Zuordnungsaufgabe, d. h. Sie müssen entscheiden, ob die Meinungsäußerung nur von einem der Sprecher stammt oder ob beide in ihrer Aussage übereinstimmen (Person 1 / Person 2 / beide). Es gibt immer nur eine richtige Lösung. Das Beispiel (Nr. 0) ist immer die erste Aufgabe und zeigt Ihnen, wie die Aufgabe funktioniert, danach folgen die fünf zu lösenden Aufgaben. Vor dem Hören haben Sie 30 Sekunden Zeit, um das Beispiel und dann die fünf Aussagen (Nr. 16–20) zu lesen. In der Anordnung folgen die Aufgaben der Textchronologie.

Ziel des Prüfungsteils

In **Teil 2** sollen Sie sowohl implizite als auch explizite Äußerungen und Standpunkte verstehen und den Sprechern zuordnen.

Bewertung

Für jede richtige Lösung bekommen Sie einen Punkt, d. h. maximal 5 Punkte. Die erreichte Gesamtpunktzahl wird bei der Bewertung mit vier multipliziert. Insgesamt können Sie beim **Modul Hören, Teil 2** also 20 Punkte erreichen.

Zeitrahmen

Die Bearbeitungszeit beträgt für diesen Prüfungsteil circa fünf Minuten.

Hinweise zum Üben

- Nehmen Sie sich beim ersten Üben genug Zeit, damit Sie die Strategien zur Aufgabenbewältigung, also die Aktivierung Ihres Vorwissens, das Lesen der Aussagen und das Markieren der Schlüsselwörter kennenlernen. Sie sind noch nicht in der Probeprüfung, sondern erst im Training mit Erläuterungen. Erst in der Probeprüfung sollten Sie alles in der vorgegebenen Zeit wie in der richtigen Prüfung machen.

Tipps für das Training

vor dem Hören

- Lesen Sie die situative Einbettung und überlegen Sie, was Sie schon zu diesem Thema wissen.
- Lesen Sie alle Aussagen genau durch.
- Markieren Sie Schlüsselwörter.

während des Hörens

- Sie hören erst das Beispiel.
- Konzentrieren Sie sich auf die Schlüsselwörter.
- Anders als beim Lesen können Sie sich die Zeit beim Lösen der Aufgaben nicht einteilen. Im Training ist es aber nicht schlimm, wenn Sie einige Aufgaben beim Hören nicht direkt lösen können. Hören Sie den Text einfach mehrmals oder halten Sie die CD an besonders schwierigen Stellen an.
- Bleiben Sie nicht zu lange bei einer Aussage, wenn Sie diese nicht verstanden haben, sondern konzentrieren Sie sich auf die nächste Aussage. In der Echtprüfung hören Sie den Text nur einmal.
- Vergessen Sie nicht, die Lösungen auf dem **Aufgabenblatt** zu markieren.

nach dem Hören

- Vergleichen Sie Ihre Lösungen mit dem Lösungsschlüssel auf Seite 108 f.

nach dem Hören

- Übertragen Sie die Antworten **nicht** nach Ende des jeweiligen Prüfungsteils auf das Lösungsblatt, sondern erst am Schluss des gesamten Moduls Hören. Die Übertragung auf den Antwortbogen gilt nur für die Probeprüfung.
- Vergleichen Sie am Schluss Ihre Lösungen mit dem Lösungsschlüssel am Ende des Buchs.

Teil 2

Dauer: circa 5 Minuten

Zwei Arbeitskollegen, Anja und Georg, unterhalten sich über Kinderbetreuung. Entscheiden Sie, ob die Meinungsäußerung nur von einem Sprecher stammt oder ob beide Sprecher in ihrer Meinung übereinstimmen. Es gibt nur **eine** richtige Lösung. Sie hören das Gespräch **einmal**.

> Lesen Sie die situative Einbettung und überlegen Sie, was Sie schon zu diesem Thema wissen.

1.10

Beispiel:

		Anja/Person 1	Georg/Person 2	beide
0	Der Berufseinstieg nach der Elternzeit wird erschwert.	☐	☒	☐
16	Selbsterfüllung ist sowohl im Berufs- als auch im Privatleben möglich.	☐	☐	☐
17	Die ersten Jahre sind elementar für die innere Verbundenheit von Eltern und Kind.	☐	☐	☐
18	Kinder brauchen eine stetige und wechselseitige Beziehung zu einer Person.	☐	☐	☐
19	In einer Krippe lernen Kinder, wie man mit anderen Menschen umgeht.	☐	☐	☐
20	Krippen können die Fähigkeiten von Kindern professionell fördern.	☐	☐	☐

> **Tipp:** Lesen Sie alle Aussagen genau durch.
> Überlegen Sie sich, welche Informationen für das Verständnis unverzichtbar sind und markieren Sie dann diese Schlüsselwörter wie im Beispiel.

Hören, Teil 3, Beschreibung

(Dauer: circa 20 Minuten)

Aufgabenstellung
In **Teil 3** hören Sie ein Interview mit einem Experten von circa sieben Minuten Länge. Sie hören das Interview zweimal. Es wird in authentischem Sprechtempo geführt und enthält monologische Anteile. Thema des Interviews ist immer ein fachspezifisches, das für Laien allgemein verständlich dargelegt wird.
Zu dem Interview müssen Sie zehn Aufgaben (Nr. 21–30) in Form von Multiple-Choice-Aufgaben bearbeiten, d. h. es werden drei Antwortmöglichkeiten (A, B, C) vorgegeben. Sie entscheiden, welche der Lösungsoptionen den Text adäquat wiedergibt bzw. die Frage richtig beantwortet. Es gibt nur eine richtige Lösung. Vor dem ersten Hören haben Sie zwei Minuten Zeit, das Beispiel (Nr. 0) und die Aufgaben (Nr. 21–30) genau zu lesen. Die erste Aufgabe ist immer das Beispiel, die folgenden zehn Aufgaben entsprechen in der Reihenfolge dem Verlauf des Hörtextes. Diesen Hörtext hören Sie zweimal.

Ziel des Prüfungsteils
In **Teil 3** sollen Sie Hauptaussagen, Detailinformationen und Meinungen verstehen.

Bewertung
Für jede richtige Lösung bekommen Sie einen Punkt, d. h. maximal 10 Punkte. Die erreichte Gesamtpunktzahl wird bei der Bewertung mit fünf multipliziert. Insgesamt können Sie beim **Modul Hören, Teil 3** also 50 Punkte erreichen. **Teil 3** wird höher gewichtet als **Teil 1** und **2**, weil es sich um den längsten Hörtext mit einer hohen Informationsdichte handelt.

Zeitrahmen
Die gesamte Arbeitszeit für den **Teil 3** beträgt circa 20 Minuten.

Hinweise zum Üben
- Bei den Texten des dritten Prüfungsteils handelt es sich um Expertengespräche. Lesen und hören Sie schon vor der Prüfung Texte zu unterschiedlichen Wissenschaftsthemen. Sowohl im Fernsehen als auch im Radio und im Internet gibt es hierzu zahlreiche Quellen. Es hilft auch, Texte in Ihrer Muttersprache zu rezipieren, da Hintergrundwissen den Verstehensprozess in jedem Fall erleichtert.
- Nehmen Sie sich beim ersten Üben genug Zeit, damit Sie die Strategien zur Aufgabenbewältigung, also die Aktivierung Ihres Vorwissens, das Lesen der Aussagen und das Markieren der Schlüsselwörter kennenlernen. Sie sind noch nicht in der Echtprüfung, sondern erst im Trainingsprogramm. Erst in der Probeprüfung sollten Sie alles in der vorgegebenen Zeit wie in der richtigen Prüfung machen.

Tipps für das Training
vor dem Hören
- Lesen Sie alle Aufgaben genau, dafür haben Sie zwei Minuten Zeit.
- Unterstreichen Sie Schlüsselwörter.

während des Hörens
- Sie hören erst das Beispiel.
- Konzentrieren Sie sich auf die Schlüsselwörter.
- Anders als beim Lesen können Sie sich die Zeit beim Lösen der Aufgaben nicht einteilen. Im Training ist es aber nicht schlimm, wenn Sie einige Aufgaben beim Hören nicht direkt lösen können. Hören Sie den Text einfach mehrmals oder halten Sie die CD an besonders schwierigen Stellen an.
- Bleiben Sie nicht zu lange bei einer Aussage, wenn Sie diese nicht verstanden haben, sondern konzentrieren Sie sich auf die nächste Aussage. In der Echtprüfung hören Sie den Text zweimal, sodass Ihnen die Möglichkeit gegeben ist, Lösungen und Korrekturen zu ergänzen.

- Ergänzen Sie beim zweiten Hören die Antworten, die Sie nicht verstanden haben.
- Vergessen Sie nicht, die Lösungen auf dem Aufgabenblatt zu markieren.

nach dem Hören

- Nach zweimaligem Hören von **Teil 3** haben Sie drei Minuten Zeit, um Ihre Lösungen für alle Aufgaben des Moduls Hören auf den Antwortbogen zu übertragen. Die Übertragung auf den Antwortbogen gilt nur für die Probeprüfung.
- Vergleichen Sie am Schluss Ihre Lösungen mit dem Lösungsschlüssel auf Seite 108 f.

Teil 3

Dauer: circa 20 Minuten

Sie hören ein Interview mit dem Philosophen Robert Menasse. Kreuzen Sie bei den Aufgaben 21–30 die richtige Lösung an (a, b oder c). Es gibt nur **eine** richtige Lösung. Sie hören das Gespräch **zweimal**.

Beispiel:

0 Ein Interview ist für Menasse anstrengend, wenn

- [a] die Fragestellung unangemessen ist.
- [X] ihm seine eigenen Antworten fremd werden.
- [c] über tiefsinnige Themen gesprochen wird.

Tipp: Lesen Sie sich alle Aufgaben und Antwortoptionen genau durch und markieren Sie die Schlüsselwörter. Falls Sie eine Antwort nicht sofort wissen, halten Sie sich nicht zu lange damit auf, sondern gehen Sie zur nächsten Aufgabe über. Sie hören den Text noch ein zweites Mal. Sie können das Interview auch in Etappen hören, wenn Sie beim Lösen der Aufgaben Schwierigkeiten haben.

21 Menasse definiert Arbeit als

- [a] eine Möglichkeit, sich selbst zu erleben.
- [b] eine sinnentleerte Tätigkeit.
- [c] ein Mittel, sich als Teil der Gemeinschaft zu fühlen.

22 Viele Menschen haben Angst davor, dass

- [a] die Arbeit ihre Freiräume einschränkt.
- [b] ihnen die Arbeit über den Kopf wächst.
- [c] ihre Arbeit wenig Sinn macht.

23 Menasse denkt, dass heutzutage Menschen bei ihrer Arbeit

- [a] die tägliche Routine schätzen.
- [b] wenig zwischenmenschliche Kontakte haben.
- [c] zu wenig auf sich und andere achten.

24 **Die Leute arbeiten heute vor allem, um**

a finanziell unabhängig zu sein.
b ihre Existenz zu sichern.
c sich etwas Besonderes zu leisten.

25 **Menasse ist der Meinung, dass technologische Innovationen**

a das Arbeitspensum erhöhen.
b die Arbeit erleichtern.
c Raum für sinnvolle Tätigkeiten schaffen.

26 **Vorteil des Internets im Kontext der Arbeit ist laut Menasse, dass**

a die Arbeitsprozesse beschleunigt werden.
b es neue Möglichkeiten bietet, Geld zu verdienen.
c man zeitlich und räumlich unabhängig ist.

27 **Berufliche Selbstständigkeit im Kontext neuer Medien bedeutet für Menasse**

a nachhaltiger arbeiten zu können.
b weniger Stress bewältigen zu müssen.
c wenig Identifikationsmöglichkeiten zu haben.

28 **Arbeit kann negative Auswirkungen haben, weil sie Menschen**

a falsche Werte vermittelt.
b unsozial werden lässt.
c zu viel Zeit raubt.

29 **Viele Menschen sind stolz darauf, mit ihrer Arbeit für ihre Familie sorgen zu können. Menasse hält diese Einstellung für**

a berechtigt.
b egoistisch.
c selbsttäuschend.

30 **Selbstverwirklichung ist nach Menasse für jeden möglich, der**

a die heutigen Freiheiten richtig zu nutzen weiß.
b konsequent seine Ziele verfolgt.
c sich auf den technischen Fortschritt einlässt.

Hören: Training

Teil 1 — *Dauer: circa 10 Minuten*

1.13

Sie hören fünf Ausschnitte aus Radiosendungen zu verschiedenen Themen. Zu jedem Ausschnitt gibt es drei Aufgaben. Entscheiden Sie, ob die Aussagen mit dem Textinhalt übereinstimmen oder nicht. Kreuzen Sie an. Sie hören die Texte **einmal**.

Sie hören einen Ausschnitt aus einem Radiobericht zum Thema „Mensch und Technik".

Beispiel:

		Ja	Nein
0	Zur Unterstützung des menschlichen Orientierungssinns entwickeln Forscher eine neue Technik.	☐	☒
1	Die virtuelle Welt spiegelt dem Menschen die Entfernungen, wie sie in der Wirklichkeit zu finden sind, vor.	☐	☐
2	Um sich zurechtzufinden, schaffen Menschen sich innere Landkarten.	☐	☐
3	Technische Geräte sollen durch die Arbeit der Wissenschaftler optimiert werden.	☐	☐

Tipp: Haben Sie die Schlüsselwörter markiert? Hören Sie nun den entsprechenden Hörtext. Überprüfen Sie dann Ihre Antwort. Wenn Sie die Aussage falsch angekreuzt haben, hören Sie den Text noch einmal und konzentrieren Sie sich auf die Hauptidee. Woran hätte man die richtige Antwort erkennen können? Wo waren die relevanten Stellen im Hörtext?

1.14

Sie hören einen Teil einer Sendereihe über Musik. Hier geht es um Filmmusik.

		Ja	Nein
4	Ein innovativer Musikstil tritt an die Stelle traditioneller Filmmusik.	☐	☐
5	Klänge, die über eine schmale Mundöffnung erzeugt werden, lösen negative Emotionen aus.	☐	☐
6	Die Wahrnehmung von Musik hängt unter anderem von unserem Pulsschlag ab.	☐	☐

1.15

Sie hören einen Radiobericht über Physik im Alltag.

		Ja	Nein
7	In der Theorie landen Butterbrote gleich oft auf beiden Seiten.	☐	☐
8	Butterbrote landen wegen der mehrfachen Umdrehung oft auf der bestrichenen Seite.	☐	☐
9	Ab einer Fallhöhe von zwei Metern landet das Brot auf der bestrichenen Seite.	☐	☐

1.16

Sie hören einen Ausschnitt aus einer Radiosendung über Energienutzung.

		Ja	Nein
10	Für das menschliche Auge sind die Mikrospiegel gerade noch sichtbar.	☐	☐
11	Die Spiegel können unabhängig voneinander bewegt werden.	☐	☐
12	Die Spiegel verteilen das Licht gleichmäßig im Raum.	☐	☐

1.17

Sie hören einen Teil einer Sendereihe über Kleidung. Heute geht es um die Herstellung von Krawatten.

		Ja	Nein
13	Krawatten werden in Europa so gewebt, dass sie dynamisch wirken.	☐	☐
14	Das Drehen des Stoffs macht Krawatten widerstandsfähiger.	☐	☐
15	In Amerika verlaufen die Streifen auf Krawatten entgegengesetzt zu denen in Europa.	☐	☐

Teil 2

Dauer: circa 5 Minuten

Zwei Freunde, Michaela und Roland, unterhalten sich übers Sprachenlernen. Entscheiden Sie, ob die Meinungsäußerung nur von einem Sprecher stammt oder ob beide Sprecher in ihrer Meinung übereinstimmen. Es gibt nur **eine** richtige Lösung. Sie hören das Gespräch **einmal**.

> Haben Sie die Schlüsselwörter markiert? Hören Sie nun den entsprechenden Hörtext. Überprüfen Sie dann Ihre Lösung. Wenn Sie die Aussagen falsch zugeordnet haben, hören Sie den Text noch einmal und konzentrieren Sie sich auf die Schlüsselwörter. Woran hätte man die richtige Antwort erkennen können? Wo waren die relevanten Stellen im Hörtext?

Beispiel:

		Michaela/Person 1	Roland/Person 2	beide
0	Motivation allein reicht aus, um eine Sprache zu lernen.	☒	☐	☐
16	Beim Fremdsprachenlernen ist es unerlässlich, sich ein Ziel zu setzen.	☐	☐	☐
17	Je mehr man lernt, desto besser ist man in einer Fremdsprache.	☐	☐	☐
18	Man muss sich klarmachen, über welche Sinneskanäle man am besten Informationen aufnimmt.	☐	☐	☐
19	Lernstrategien sind grundlegend für den Lernerfolg.	☐	☐	☐
20	Sprachen kann man nicht verlernen.	☐	☐	☐

Teil 3 *Dauer: circa 20 Minuten*

Sie hören ein Interview mit dem Verkaufstrainer Thomas Bottin. Kreuzen Sie bei den Aufgaben 21–30 die richtige Lösung an (a, b oder c). Es gibt nur **eine** richtige Lösung. Sie hören das Gespräch **zweimal**.

Beispiel:

0 **Laut Bottin sollte ein guter Verkaufstrainer**

[a] eine Weiterbildung in Psychologie gemacht haben.
[b] in seinen Reden Beispiele aus dem Fernsehen anführen.
[X] Witze in seinen Vortrag einbauen.

Tipp: Haben Sie die Schlüsselwörter markiert? Falls Sie eine Antwort nicht sofort wissen, halten Sie sich nicht zu lange damit auf, sondern gehen Sie zur nächsten Aufgabe über. Sie hören den Text noch ein zweites Mal.

21 **Eine wichtige Methode für einen guten Vortrag ist es,**

[a] dem Zuhörer viele wichtige Informationen zu geben.
[b] dem Zuhörer zu zeigen, wie er Fehler vermeiden kann.
[c] zwischen Zuhörer und Redner eine Brücke zu schlagen.

22 **Gute Verkäufer begreifen, dass sie**

[a] an ihr Verkaufstalent glauben müssen.
[b] ihre inneren Widerstände überwinden müssen.
[c] ihre Motivationsschwierigkeiten akzeptieren müssen.

23 **Am meisten gefallen Bottin Veranstaltungen, bei denen**

[a] der Aufbau von Kundengesprächen vermittelt wird.
[b] die Grundkenntnisse des Verkaufens vorgetragen werden.
[c] unterschiedliche Verkaufssituationen nachgestellt werden.

24 **Bottin erinnert bei seinen Veranstaltungen an einen Komiker, weil er**

[a] das Stilmittel der Übertreibung verwendet.
[b] die Zuhörer ihren Alltag vergessen lässt.
[c] versucht, besonders ironisch zu sein.

25 **Beim Aufbau seines Vortrags sollte der Redner**

[a] es vermeiden, Informationen mehrfach zu nennen.
[b] mit der wichtigsten Information bis zum Schluss warten.
[c] sich flexibel an die Bedürfnisse des Publikums anpassen.

26 **Die Kunden achten bei einem Verkäufer vor allem auf**

a die Sprache.
b die Stimme.
c Mimik und Gestik.

27 **Bottin weckt die Aufmerksamkeit der Zuhörer, indem er**

a außergewöhnliche Fakten vorstellt.
b eine Art Ratespiel veranstaltet.
c kreative Illustrationen präsentiert.

28 **Bottin findet, jeder gute Vortrag sollte**

a die Gefühle der Zuhörer ansprechen.
b einen spielerischen Charakter haben.
c mit anschaulichen Fotos arbeiten.

29 **Für den Verkaufstrainer ist es eine Herausforderung,**

a die eigenen Ideale zu vermitteln.
b die eigene Person zurückzunehmen.
c vor vielen Menschen zu reden.

30 **Leute, die im Vertrieb arbeiten, sind laut Bottin**

a sehr unterhaltsam.
b sehr einfühlsam.
c sehr karriereorientiert.

Hören: Probeprüfung

Teil 1 *Dauer: circa 10 Minuten*

Sie hören fünf Ausschnitte aus Radiosendungen zu verschiedenen Themen. Zu jedem Ausschnitt gibt es drei Aufgaben. Entscheiden Sie, ob die Aussagen mit dem Textinhalt übereinstimmen oder nicht. Kreuzen Sie an. Sie hören die Texte **einmal**.

Sie hören einen Ausschnitt aus einer Wissenschaftssendung.

Beispiel:

		Ja	Nein
0	Die ersten Kaugummis bestanden aus Baumwurzeln.	☐	☒
1	Früher bekamen kleine Kinder Kaugummis zur Beruhigung.	☐	☐
2	Die Grundmasse des heutigen Kaugummis wurde zufällig entdeckt.	☐	☐
3	Seit dem 19. Jahrhundert gibt es Kaugummis mit diversen Geschmacksrichtungen.	☐	☐

2.3

Sie hören einen Radiobericht über eine Forschungsexpedition in der Antarktis.

		Ja	Nein
4	Die Besatzung des Expeditionsschiffs untersucht die Auswirkungen der Erderwärmung.	☐	☐
5	Schelfeis verhindert die Ausbreitung von Organismen.	☐	☐
6	Das Fortschreiten der Neubesiedlung entspricht den Erwartungen des Wissenschaftlers Knust.	☐	☐

2.4

Sie hören einen Ausschnitt aus einer Radiosendung über Wärmeforschung.

		Ja	Nein
7	Henninger erforscht, wie Menschen die Temperatur in geschlossenen Räumen beeinflussen.	☐	☐
8	Die Zuschauer geben so hohe Temperaturen ab, als hätten sie starkes Fieber.	☐	☐
9	Henningers Forschung dient der Verhinderung von Massenunglücken.	☐	☐

2.5

Sie hören einen Radiobeitrag über Wildnis in Städten.

		Ja	Nein
10	Wildnis gibt es vor allem in sehr kleinen Städten.	☐	☐
11	Die Akzeptanz von Wildnis in Städten sinkt, je weiter man von ihr entfernt lebt.	☐	☐
12	Nur in deutschen Nationalparks kann sich Wildnis ungestört entfalten.	☐	☐

2.6

Sie hören einen Teil einer Radiosendung über eine neue Form der Beleuchtung.

		Ja	Nein
13	OLEDs sind hauchdünne Beläge, die Elektrizität leiten.	☐	☐
14	OLEDs können auf elastische Materialien aufgetragen werden.	☐	☐
15	Langfristig soll der Preis für OLEDs halbiert werden.	☐	☐

Teil 2

Dauer: circa 5 Minuten

Zwei Bekannte, Klaus und Bianca, unterhalten sich über biologische Produkte. Entscheiden Sie, ob die Meinungsäußerung nur von einem Sprecher stammt oder ob beide Sprecher in ihrer Meinung übereinstimmen. Es gibt nur **eine** richtige Lösung. Sie hören das Gespräch **einmal**.

Beispiel:

		Klaus/Person 1	Bianca/Person 2	beide
0	Es ist gut, regionale Produkte zu kaufen.	☐	☐	☒
16	Beim Kauf sollte man besonders darauf achten, dass die Lebensmittel unbehandelt sind.	☐	☐	☐
17	Gütesiegeln kann man vertrauen.	☐	☐	☐
18	Die ursprüngliche Absicht von ökologischem Landbau ist nicht im Bewusstsein der Gesellschaft.	☐	☐	☐
19	Die Verwendung nachwachsender Rohstoffe ist kritisch zu betrachten.	☐	☐	☐
20	Alle sollten fair gehandelte Produkte konsumieren.	☐	☐	☐

Teil 3 *Dauer: circa 20 Minuten*

Kreuzen Sie bei den Aufgaben 21–30 die richtige Lösung an (a, b oder c). Es gibt nur **eine** richtige Lösung. Sie hören das Gespräch **zweimal**.

Sie hören ein Interview mit dem Staubforscher Jens Soentgen.

Beispiel:

0 Schon Kant hat festgestellt, dass

- [a] die Sonne aus anderer Materie besteht als die Erde.
- [X] Planeten sich aus kleinsten Partikeln zusammensetzen.
- [c] Staub die Konstellation der Planeten beeinflusst hat.

21 Staub wird erforscht, um

- [a] die Umweltbelastung durch Feinstaub reduzieren zu können.
- [b] körperlichen Schäden vorbeugen zu können.
- [c] seine Zusammensetzung genauer bestimmen zu können.

22 Menschgemachter Staub

- [a] besteht aus verkapselten Teilchen.
- [b] enthält Anteile natürlicher Partikel.
- [c] entsteht durch Verbrennungsprozesse.

23 Gesundheitsgefährdender Staub ist

- [a] als Trübung der Luft erkennbar.
- [b] für das menschliche Auge unsichtbar.
- [c] nur durch das Mikroskop sichtbar.

24 Feinstaub ist gesundheitsschädlich, weil er

- [a] Allergien verschlimmert.
- [b] die Schleimhäute reizt.
- [c] sich in Organen festsetzt.

25 Textilien im Schlafzimmer

- [a] binden Staub an sich.
- [b] rufen allergische Reaktionen hervor.
- [c] sind die ideale Lebensumgebung für Milben.

26 **Das Wissen über Staub ist hilfreich, da**

- [a] er chemischen Experimenten nutzt.
- [b] Tathergänge rekonstruiert werden können.
- [c] Verbrennungsmotoren verbessert werden können.

27 **Man kann kosmischen Staub wahrnehmen, wenn**

- [a] die Teilchen von Kometen sichtbar werden.
- [b] er den Mond verdunkelt.
- [c] sich die Lichtbedingungen verändern.

28 **Die persönliche Staubwolke lässt sich feststellen**

- [a] an einem möglichst sauberen Ort.
- [b] an einem Ort mit hoher Menschendichte.
- [c] in einem geschlossenen Raum.

29 **Raucher**

- [a] atmen Rauchteilchen noch Stunden später aus.
- [b] binden Staub in ihrer Umgebung länger an sich.
- [c] sammeln Staub dauerhaft in der Lunge an.

30 **Soentgen meint, dass**

- [a] die Welt ohne Staub besser wäre.
- [b] Staub etwas Selbstverständliches ist.
- [c] Staub mehr Nach- als Vorteile hat.

Darüber hinaus

Übungen zum Wortschatz und zur Grammatik des Moduls Hören

1a Markieren Sie zunächst die Schlüsselwörter in den Aussagen des zweiten Radioberichts von *Teil 1* aus dem ersten Training (Lupineneis). Hören Sie dann den dazugehörigen Radioausschnitt, lösen Sie die Aufgaben und vergleichen Sie Ihre Antworten mit dem Lösungsschlüssel. Lesen Sie anschließend die Transkription und markieren Sie die lösungsrelevanten Textstellen. Wo im Text finden Sie die Passagen, die zeigen, dass die Aussage mit dem Text übereinstimmt? Begründen Sie, warum die anderen Aussagen den Textinhalt nicht wiedergeben.

Sie hören einen Ausschnitt aus einer Sendereihe über Lebensmittel. Hier geht es um das Lupineneis.

Die erste Aussage stimmt nicht mit dem Text überein, weil mithilfe der Süßlupine Speiseeis nicht cremiger gemacht wird, sondern weil damit ein cremiges Speiseeis ganz ohne Milch entwickelt wird. Es wird kein Vergleich zu dem normalen Speiseeis gezogen.

		ja	nein
a	Die Samen der Süßlupine machen Eis cremiger.	☐	☐
b	Der Anbau der Sojabohne belastet die Umwelt mehr als der von Lupinen.	☐	☐
c	Die Herstellung tierischer Eiweiße erfordert eine größere Ackerfläche als die pflanzlicher.	☐	☐

Transkription: Wer keine Milch verträgt, hat an der Eistheke nur eine eingeschränkte Wahl. Doch jetzt haben Wissenschaftler des Fraunhofer-Instituts in Freising ein cremiges Speiseeis ganz ohne Milch entwickelt. Dazu nutzen sie die in Norddeutschland wachsende blaue Süßlupine. Aus den Samen der Hülsenfrucht gewinnen die Forscher eine Lupinenmilch, die keinerlei Milchbestandteile enthält und zu Eis weiterverarbeitet werden kann.

Tipp: Orientieren Sie sich am Inhalt der Aussage und lassen Sie sich nicht davon irritieren, dass im Hörtext die gleichen Wörter vorkommen. Das ist nicht unbedingt die richtige Aussage.

Bei dem Eiweiß der Lupine handelt es sich um ein hochwertiges Protein, das vergleichbar mit dem der Sojapflanze ist. Doch im Vergleich zu Soja weist die Lupine ökologische Vorteile auf: Soja wächst hauptsächlich in tropischen Regionen. Dort wird für den Anbau mitunter Regenwald abgeholzt. Die Lupine wächst in Deutschland auf lockeren sandigen Böden, auf denen zum Beispiel auch Roggen angebaut werden kann. Aus diesem Grund ist es von Vorteil, die Lupine als regionalen Rohstoff zu benutzen. Noch etwas spricht für die Lupine: Sie ist nicht gentechnisch verändert wie die Sojabohne. In Zukunft sollen auch Milch und Käse aus Lupinenprotein hergestellt werden. Das hat auch noch einen ökologischen Grund: Um eine Tonne pflanzliche Proteine anzubauen, braucht man nur ein Fünftel der Fläche, die für tierische Proteine benötigt werden. Einen Haken hat die Lupine aber doch: Menschen, die allergisch auf Hülsenfrüchte sind, könnten auch hier mit Allergien rechnen.

b Markieren Sie zunächst die Schlüsselwörter in den Aussagen des dritten Radioberichts der *Aufgabe 1* aus dem ersten Training (Kopiertechniken von Texten). Hören Sie dann den dazugehörigen Radioausschnitt, lösen Sie die Aufgaben und vergleichen Sie Ihre Antworten mit dem Lösungsschlüssel. Lesen Sie anschließend die Transkription und markieren Sie die lösungsrelevanten Textstellen. Wo im Text finden Sie die Passagen, die zeigen, dass die Aussage mit dem Text übereinstimmt? Begründen Sie, warum die anderen Aussagen den Textinhalt nicht wiedergeben.

Sie hören einen Ausschnitt aus einem Radiobericht, in dem es um Kopiertechniken von Texten geht.

Die erste Aussage stimmt nicht. Lassen Sie sich nicht davon verwirren, dass im zweiten Abschnitt das Wort Durchschlag vorkommt. Dabei geht es um die Kopie eines Schreibens im Sekretariat und nicht um das Vervielfältigen von wissenschaftlichen Arbeiten.

		ja	nein
a	Früher hat man mit Durchschlägen wissenschaftliche Arbeiten vervielfältigt.	☐	☐
b	Süße Flüssigkeiten waren früher ein fester Bestandteil des Redigierens.	☐	☐
c	Der Name für Kopien hat sich im Laufe der Zeit geändert.	☐	☐

Transkription: Die Versuchung ist übermächtig: Ein passendes Zitat wird mit der Maus markiert und mit einfachen Tastenkombinationen kopiert und eingefügt – zack, schon ist der fremde Gedanke Teil des eigenen Textes.

Es ist noch nicht lange her, da war das, was man heute Copy and Paste nennt, noch ein Beruf namens Fräulein und das Kommando lautete: Ein Durchschlag bitte. Heute heißen die Sekretärinnen Back-Off-Assistentinnen und der Befehl lautet: Control C – eine veritable Kulturtechnik, die mittlerweile sogar Schüler-, Doktorarbeiten und halbe Romane entstehen lässt.

Der Ahnherr dieses Klammerbegriffs ist allerdings älter als jeder Computer. Mit Cut and Paste wurden im Verlagswesen Manuskripte redigiert, d. h. mit der Schere abschnitts- oder satzweise zurechtgeschnitten und auf leeren Blättern neu zusammengelegt. Das nötige Werkzeug Gummi arabicum, jener zuckerhaltige, wasserlösliche Saft der Akazienwurzel, und die Redigierschere, die lang genug war, um eine DIN A4-Seite auf einmal durchzuschneiden.

Heute reicht ein Klick, ein Tastendruck. Die Eroberung des Schreibtisches durch den Computer ist nicht zuletzt der gewaltigen Vereinfachung der einstigen Collagetechnik zu verdanken. Auch wenn der Ruf des Copy und Paste nicht der allerbeste ist. Der Durchschlag mittels Kohlepapier übrigens hat das alles überlebt: Die E-Mail-Kopie heißt bis auf den heutigen Tag CC als Abkürzung für Carbon Copy.

2 Ergänzen und erweitern Sie das folgende Wortfeld zum Thema „Arbeitsmodelle heute".

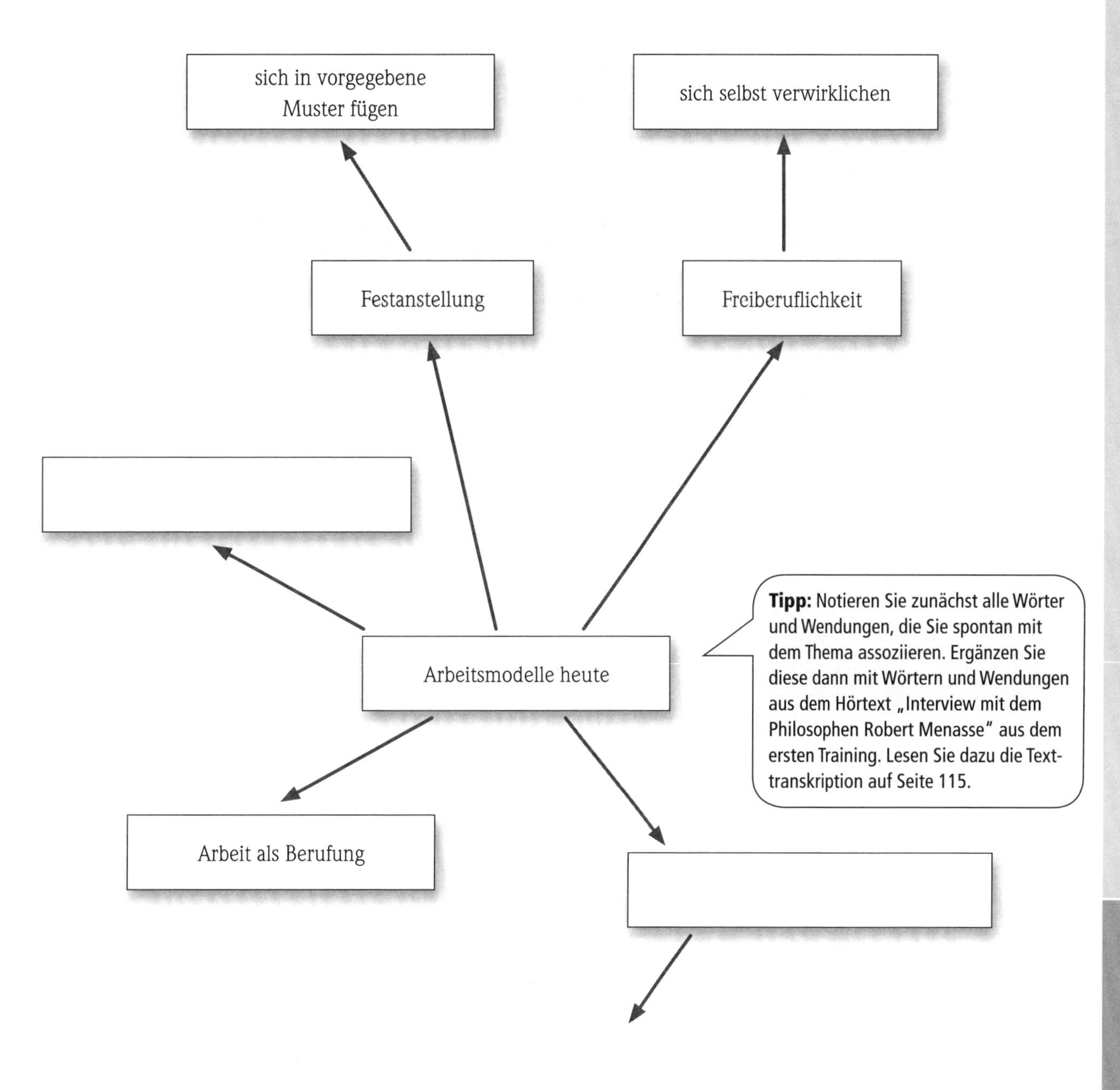

Tipp: Notieren Sie zunächst alle Wörter und Wendungen, die Sie spontan mit dem Thema assoziieren. Ergänzen Sie diese dann mit Wörtern und Wendungen aus dem Hörtext „Interview mit dem Philosophen Robert Menasse" aus dem ersten Training. Lesen Sie dazu die Texttranskription auf Seite 115.

3 a Unterstreichen Sie im Text aus dem zweiten Trainingsmodul „Gespräch über das Sprachenlernen" alle Partikeln, die die Haltung der Sprecher verdeutlichen. Es handelt sich dabei um sogenannte „Modal"- oder „Abtönungspartikeln".

b Ordnen Sie dann die Partikeln ihrer Funktion bzw. Bedeutung zu. Tragen Sie Ihre Antworten in die Tabelle auf Seite 69 ein. Kontrollieren Sie Ihre Lösungen auch noch einmal, indem Sie den Hörtext hören und auf die Intonation der Sprecher achten.

[...]

R.: Du, vorhin im ICE saß ich einer Frau gegenüber, die hat mir erzählt, dass sie zwölf Sprachen spricht. Verrückt, oder?

M.: Was? Das ist ja echt der Wahnsinn! Die muss ja unheimlich sprachbegabt sein.

R.: Ja, also, ich muss sagen, ich könnte das nicht. Ich sprech zwar ein paar Sprachen, aber gleich zwölf? Ich frag mich, ob die wirklich so begabt ist oder einfach nur fleißig.

M.: Na ja, also vielleicht muss man's ja auch nur wirklich wollen. War sie denn sehr begeistert?

R.: Ja, sie war wirklich total begeistert und hat gar nicht aufgehört zu reden.

M.: Siehste, ich denke, man muss eben nur motiviert genug sein. Und wenn man etwas wirklich will, dann erreicht man's auch.

R.: Hm, also, ich bin schon auch motiviert, zum Beispiel Spanisch zu lernen, aber richtig gut bin ich darin nicht. Begeisterung alleine reicht meines Erachtens halt einfach nicht aus.

M.: Dann bist du aber einfach nicht genug motiviert.

R.: Doch, das bin ich. Aber ich habe im Moment halt nur kein klares Ziel vor Augen. Zum Beispiel wann und wo ich meine Sprachkenntnisse anwenden kann. Vielleicht mit meinen Freunden aus Teruel, aber die sehe ich nur einmal alle zwei Jahre.

M.: Eine Zielvorgabe ist wichtig und die muss genau definiert sein und außerdem im Rahmen deiner Möglichkeiten liegen. Wenn man sich vornimmt, in einem Jahr auf das Niveau eines Muttersprachlers zu kommen, kannst du es ja gleich vergessen. Das ist nämlich unrealistisch.

R.: Ach, das Ziel, in einem Jahr richtig gut in einer Sprache zu werden, finde ich eigentlich gar nicht so abwegig. Mit viel Fleiß geht das doch. Man lernt doch schon in der Schule, dass Spracherwerb ohne Arbeit nicht möglich ist. Vokabeln pauken, grammatische Strukturen verinnerlichen, lesen, lesen, lesen ...

M.: Hm. Meinst du wirklich? Die Spracherwerbsforschung hat doch schon ganz neue Erkenntnisse gewonnen. Es geht ja nicht darum, möglichst viel zu lernen, sondern möglichst effizient. Das heißt, Qualität zählt mehr als Quantität, also, wichtig ist, wie man lernt.

Bekanntes, Selbstverständliches betonen	ja
unabänderliche Konsequenz	
Steigerung des Gesagten	
Problemlösung	
Einschränkung	
Resignation	
Betonung des Gesagten	ja, echt
Interesse ausdrücken	

Modul Schreiben

Prüfungsziel

Sie sollen nachweisen, dass Sie sich flüssig und differenziert äußern können, d. h. einen breiten Wortschatz und eine Vielzahl an grammatischen Strukturen beherrschen. Sie können ohne Schwierigkeiten unterschiedliche Mittel zur Gliederung sowie ein breites Spektrum an Verknüpfungsmitteln einsetzen. Im **Modul Schreiben** sollen Sie in **Teil 1** einen Text anhand von Vorgaben umformulieren und dabei zeigen, dass Sie die grammatischen Strukturen sicher beherrschen und über einen umfangreichen und differenzierten Wortschatz verfügen.

In **Teil 2** sollen Sie sich differenziert zu einem Thema äußern oder ein literarisches Werk kritisch würdigen, wobei Ihre Texte einen effektiven und logischen Aufbau aufweisen sollen.

Aufbau und Ablauf

Das Modul dauert 80 Minuten und besteht aus zwei Teilen. In **Teil 1** schreiben die Teilnehmenden Textpassagen um und in **Teil 2** äußern sich die Teilnehmenden schriftlich zu einem Thema.
Die Verwendung von Hilfsmitteln ist nicht erlaubt.

Prüfungsteile	**Prüfungsziel**	**Textsorte**	**Aufgabentyp**	**Zeit**	**Punkte**
Schreiben Teil 1	Sprachliche Varianten formulieren	Kurzvortrag/ Referat	Umformung	20 Minuten	20
Schreiben Teil 2	Informationen recherchieren, erklären, vergleichen, Meinungen äußern und begründen, abwägen, argumentieren, Empfehlungen geben, überzeugen	Leserbrief, Artikel oder Buchbesprechung	Freies Schreiben nach Vorgabe von drei Aspekten	60 Minuten	80

Insgesamt können im **Modul Schreiben** 100 Punkte erreicht werden.

Schreiben: Training mit Erläuterungen

Schreiben, Teil 1, Beschreibung

(Dauer: 20 Minuten)

Aufgabenstellung
In **Teil 1** sollen Sie einen Text mithilfe vorgegebener Wörter umformulieren. Diese Wörter dürfen nicht verändert werden. Sie müssen in der Form, wie sie in der rechten Spalte zu finden sind, in den neuen Satz aufgenommen werden. Der Text signalisiert durch eine fett markierte Textpassage, welche Formulierung ersetzt werden soll. Als Textvorlage dient ein Ausschnitt aus einem schriftlichen Kurzreferat von circa 200 Wörtern.

Ziel des Prüfungsteils
In **Teil 1** sollen Sie zeigen, dass Sie grammatische Strukturen sicher beherrschen und über einen umfangreichen und differenzierten Wortschatz verfügen.

Bewertung
Jede richtige Lösung wird mit 2 Punkten bewertet. Insgesamt können beim **Modul Schreiben, Teil 1** 20 Punkte erreicht werden.

Zeitrahmen
Für die Lösung dieses Prüfungsteils haben Sie zwanzig Minuten Zeit.

Hinweise zum Üben
- Lesen Sie im Vorfeld der Prüfung viele Sachtexte.
- Überlegen Sie: Wie kann man einen Sachverhalt auf unterschiedliche Weise ausdrücken? Formulieren Sie beispielsweise Sätze im Nominal- und Verbalstil, wandeln Sie Präpositionalgruppen in Nebensätze um oder wandeln Sie Sätze mit Modalverben in Sätze mit modalen Wendungen um.
- Nehmen Sie sich beim ersten Üben genug Zeit, damit Sie die Strategien zur Aufgabenbewältigung kennenlernen. Sie sind noch im Training. Erst in der Probeprüfung sollten Sie alles in der vorgegebenen Zeit wie in der richtigen Prüfung machen.

Tipps für das Training
- Lesen Sie sich den Text gut durch. Achten Sie dabei auf den fett markierten Satzteil / Ausdruck und das Wort in der rechten Spalte. Lesen Sie dies besonders genau, sie sollten das genau verstehen.
- Formulieren Sie die markierte Textpassage um, indem Sie das Wort in der rechten Spalte unverändert übernehmen. Dabei formulieren Sie manches um, verwenden ganz andere Wörter und Begriffe beziehungsweise lassen Wörter oder Begriffe weg. Achten Sie dabei genau auf die Endungen usw.
- Übertragen Sie die Lösungen direkt auf den Antwortbogen. Die Übertragung auf den Antwortbogen gilt nur für die Probeprüfung.
- Vergleichen Sie am Schluss Ihre Lösungen mit dem Lösungsschlüssel auf Seite 109.

Teil 1

Dauer: 20 Minuten

Überarbeiten Sie das Kurzreferat in den markierten Passagen und verwenden Sie dabei die Wörter aus der rechten Spalte, die **nicht** verändert werden dürfen.
Nehmen Sie alle notwendigen Umformungen vor.
Schreiben Sie dann die neu formulierten Passagen auf den **Antwortbogen**.

Tipp: Überlegen Sie sich, wie Sie die fett markierte Textpassage durch den in der rechten Spalte stehenden Ausdruck ersetzen könnten. In diesem Fall sollen Sie die Passage „ob sich Musik positiv auf unser geistiges und soziales Können auswirkt" umformulieren und dabei das Wort „Einfluss" verwenden: „Musik einen positiven Einfluss auf unser geistiges und soziales Können hat."

Mein heutiges Referat beschäftigt sich mit der Frage, ob **(0) sich Musik positiv auf unser geistiges und soziales Können auswirkt.**
Was Laien längst für erwiesen halten, **(1) sorgt unter Fachleuten noch immer für heftigen Streit:** der angeblich positive Einfluss von Musik auf allgemeine intellektuelle und soziale Fähigkeiten.
Widerlegt ist etwa der sogenannte Mozart-Effekt: **(2) Anders als die ursprüngliche Behauptung** der Psychologin Frances Rauschen, **(3) trägt das bloße Hören von klassischer Musik nichts zur Entwicklung von Intelligenz bei.** Über aktives Musizieren hingegen **(4) sind die Meinungen geteilt:** Während die bekannte Studie von Hans Günther Bastian „Musik(erziehung) und ihre Wirkung" einen segensreichen Einfluss auf schulische Leistungen, aber auch soziale Kompetenz konstatiert, **(5) bemängeln Intellektuelle wie der Philosoph Ralph Schumacher das empirische Vorgehen** dieser Untersuchung. Außerdem seien die erwiesenen Effekte nur gering.
Nun aber hat ein Team um den Soziologen Thomas Blank von der Universität Bielefeld eine Untersuchung vorgelegt, **(6) die die Debatte wiederbeleben dürfte.** In Zusammenarbeit mit dem Gesundheitsamt Münster wurde bei 500 Kindern untersucht, inwieweit **(7) häufiges Singen mit Schulreife korreliert.** Das Ergebnis ist verblüffend deutlich: **(8) 88 Prozent der „Sänger" und lediglich 44 Prozent der „Nicht-Sänger" wurden von – uneingeweihten – Ärzten als regelschulreif eingeschätzt.** Dieser Zusammenhang **(9) hatte auch bei Kindern aus bildungsfernen Schichten Bestand.** **(10) Dass Kinder gut abschneiden,** ist also kein Nebeneffekt „bürgerlicher" Erziehung.

(0) Einfluss
Lösung: Musik einen positiven Einfluss auf … hat.

(1) umstritten

Hinweis: Die nicht fett markierten Textteile werden nicht verändert.

(2) entgegen

(3) Beitrag

(4) gibt

(5) Kritik

(6) Schwung

(7) Zusammenhang

(8) Einschätzung

(9) galt

(10) Abschneiden

Hinweis: Falls Sie eine Lösung finden, die nicht im Lösungsschlüssel aufgeführt ist, lassen Sie diese von Ihrer Kursleiterin / Ihrem Kursleiter oder einer Muttersprachlerin / einem Muttersprachler prüfen.

0 *Musik einen* ***positiven*** *(1 P.) Einfluss auf unser geistiges und unser soziales Können* ***hat*** *(1 P.)*

1 ______________________________

2 ______________________________

3 ______________________________

4 ______________________________

5 ______________________________

6 ______________________________

7 ______________________________

8 ______________________________

9 ______________________________

10 ______________________________

Schreiben, Teil 2, Beschreibung

(Dauer: 60 Minuten)

Aufgabenstellung

In **Teil 2** sollen Sie einen schriftlichen Text zu einem vorgegebenen Thema verfassen.
In diesem Prüfungsteil bekommen Sie vier Themen angeboten. Zwei davon beziehen sich auf allgemeine Fragestellungen. Zu jedem Thema gibt es drei Input-Texte oder Statements. Die zwei anderen Themen sind an die Lektüre literarischer Werke gebunden. Sie wählen in der Prüfung **eins** der vier Themen frei aus. Zu dem gewählten Thema sollen Sie einen Text von circa 350 Wörtern schreiben. Dabei handelt es sich entweder um einen Leserbrief beziehungsweise Artikel oder um eine Buchbesprechung.

Hinweis: Die für den jeweiligen Prüfungstermin aktuelle Literaturliste wird auf der Webseite des Goethe-Instituts veröffentlicht. Sie müssen die Bücher vor der Prüfung gelesen haben, da Sie sie in der Prüfung nicht verwenden dürfen. Diese Buchangaben gelten immer für ca. ein Jahr.

Ziel des Prüfungsteils

In **Teil 2** sollen Sie zeigen, dass Sie in der Lage sind, Ihre Argumentation logisch aufzubauen, durch geeignete Beispiele zu stützen und sich differenziert auszudrücken. Dabei sollen Sie sich kohärent sowie partner- und situationsadäquat äußern. Das gilt für alle Textsorten, auch wenn die Schwerpunkte verschieden sein können.

Bewertung

Ihre Leistung wird zentral von jeweils zwei geschulten Bewertenden unabhängig voneinander anhand von fünf Kriterien bewertet, für die jeweils zwischen 0 und 4 Punkte vergeben werden, d. h. maximal 20 Punkte. Die erreichte Gesamtpunktzahl wird bei der Bewertung mit 4 multipliziert. Insgesamt können Sie im **Modul Schreiben, Teil 2** also 80 Punkte erreichen. Die hauptsächlichen Bewertungskriterien finden Sie bei der jeweiligen Aufgabenstellung, die genauen Bewertungskriterien auf Seite 79.

Zeitrahmen

Für diesen Prüfungsteil haben Sie 60 Minuten Zeit.

Hinweise zum Üben

- Lesen Sie vor der Prüfung Leserbriefe und andere Artikel, die der geforderten Länge entsprechen. Für das literaturgebundene Thema empfiehlt es sich, Buchrezensionen zu lesen. Alle relevanten Textsorten finden Sie im Internet oder in Zeitungen.
- Entscheiden Sie im Vorfeld der Prüfung, ob Sie das literaturgebundene oder das freie Thema bearbeiten wollen. Wenn Sie sich für das literaturgebundene Thema entscheiden, lesen Sie eines oder beide Bücher auf der Literaturliste, die Sie unter www.goethe.de finden.

Tipps für das Training

- Lesen Sie sich die Input-Texte durch und bearbeiten Sie alle Aspekte der Aufgabenstellung. Begründen Sie Ihre Argumentation und geben Sie Beispiele. Schreiben Sie einen zusammenhängenden und klar gegliederten Text. Verwenden Sie das für die Textsorte angemessene Register und achten Sie auf Ihre Wortwahl. Im Kapitel „Darüber hinaus" finden Sie eine Liste mit relevanten Redemitteln.
- Achten Sie bei der Buchbesprechung darauf, dass Ihre Inhaltsangabe nicht mehr als ein Drittel der Rezension einnimmt.
- In der echten Prüfung schreiben Sie Ihren Text auf den dafür vorgesehenen Antwortbogen.

Teil 2

Dauer: 60 Minuten

Wählen Sie aus den folgenden vier Themen **ein Thema** aus.

Tipp: Im Vorfeld der Prüfung haben Sie sich vielleicht dafür entschieden, ein freies Thema zu bearbeiten. Lesen Sie sich zunächst die beiden Themen durch und überlegen Sie, mit welchem Sie spontan mehr assoziieren können bzw. welches Thema Ihnen vertrauter ist. Lesen Sie auch die Input-Texte. Halten Sie sich aber nicht zu lange mit der Themenwahl auf.

Thema 1

Sie haben in der Zeitung einen Artikel zum Thema „Leistung in der heutigen Gesellschaft – Chancen und Risiken" gelesen. Schreiben Sie einen ausführlichen Leserbrief (circa 350 Wörter) an die Redaktion, in dem Sie sich auf die drei folgenden Aussagen beziehen und Ihre Meinung dazu äußern.

- *In der Ausbildung sollte der Mensch ganzheitlich gesehen werden und nicht nur als künftiger Leistungsträger der Gesellschaft.*
- *Wenn der Erfolgsdruck zu groß ist, kann das negative Auswirkungen auf die Leistung haben.*
- *Nur wer auf einem Gebiet Experte ist, kann Spitzenleistungen erbringen.*

Tipp: Formulieren Sie die Aussagen mit Ihren eigenen Worten, um sich die Idee bewusst zu machen. Überlegen Sie dann, in welchem Verhältnis die Aussagen zueinander stehen, das heißt, ob sie sich widersprechen oder ob sie das gleiche Ziel verfolgen. Achten Sie beim Schreiben darauf, dass der Textaufbau dieses Verhältnis auch widerspiegelt. Nur so wird Ihre Argumentation nachvollziehbar und Ihr Text zusammenhängend.

Bei der Bewertung wird unter anderem auf Folgendes geachtet:

- Haben Sie alle Aspekte der Aufgabenstellung bearbeitet?
- Haben Sie Ihre Argumentation begründet und Beispiele gegeben?
- Ist Ihr Text zusammenhängend und klar gegliedert?
- Sind Wortwahl und Stil dem Thema und der Textsorte angemessen?

Thema 2

Sie haben im Fernsehen in der Sendung „Kulturzeit" eine Diskussionsrunde zum Thema „Grenzenlose Kunst – wie weit darf man gehen?" gesehen. Nach der Sendung wurden die Zuschauer aufgefordert, ihre Meinung abzugeben. Sie schreiben eine ausführliche E-Mail (circa 350 Wörter) an die Redaktion, in der Sie sich auf die drei folgenden Diskussionsbeiträge beziehen und Ihre Meinung dazu äußern.

Hier ein Beispiel, wie Sie Thesen für Ihren Text finden können: In der ersten Aussage wird die Idee ausgedrückt, dass Kunst heute nur kommerzielle Absichten verfolgt. Im Gegensatz dazu steht die zweite Aussage, in der es darum geht, dass Kunst unter bestimmten Bedingungen die Gesellschaft verändern kann und keineswegs eine ausschließlich kommerzielle Intention hat. Die dritte Aussage kann man in ein Verhältnis zur zweiten Aussage setzen: In beiden geht es darum, dass nur Kunst ohne Grenzen wirkliche Kunst ist. Allerdings nähern sich die beiden Aussagen dem Thema aus unterschiedlichen Perspektiven.

► *Bei Kunst geht es heutzutage oft nur darum, in die Presse zu kommen und mit allen Mitteln Aufmerksamkeit auf sich zu ziehen.*

► *Kunst kann die Gesellschaft nur verändern, wenn sie Grenzen überschreitet.*

► *Kunst ist nur dann Kunst, wenn ihr keine Grenzen gesetzt werden.*

Bei der Bewertung wird unter anderem auf Folgendes geachtet:

- Haben Sie alle Aspekte der Aufgabenstellung bearbeitet?
- Haben Sie Ihre Argumentation begründet und Beispiele gegeben?
- Ist Ihr Text zusammenhängend und klar gegliedert?
- Sind Wortwahl und Stil dem Thema und der Textsorte angemessen?

Thema 3

Sie schreiben für ein deutschsprachiges Leserblog eine Buchbesprechung zu „Ruhm“ von Daniel Kehlmann. Die Rezension sollte circa 350 Wörter umfassen.

Tipp: Achten Sie darauf, dass Sie die drei Inhaltspunkte in gleichem Umfang bearbeiten. Dies wird bei der Bewertung berücksichtigt.

- *Fassen Sie den Inhalt kurz zusammen.*
- *Erläutern Sie, auf welches formale Experiment Kehlmann sich einlässt und welche Wirkung es auf den Leser hat.*
- *Empfehlen Sie das Buch Lesern des Blogs.*

Tipp: Es ist wichtig, dass Ihr Text zusammenhängend geschrieben und Ihre Argumentation gut nachvollziehbar und strukturiert ist. Dafür ist es notwendig, dass Sie die drei Leitpunkte inhaltlich und sprachlich verbinden

Bei der Bewertung wird unter anderem auf Folgendes geachtet:

- Haben Sie alle Aspekte der Aufgabenstellung bearbeitet?
- Ist Ihr Text klar gegliedert?
- Haben Sie eine zusammenhängende Darstellung gegeben?
- Sind Wortwahl und Stil der Textsorte angemessen?

Thema 4

Sie schreiben für ein deutschsprachiges Literaturforum eine Buchbesprechung zu „Der Mond und das Mädchen“ von Martin Mosebach. Die Rezension sollte circa 350 Wörter umfassen.

- *Fassen Sie den Inhalt kurz zusammen.*
- *Charakterisieren Sie den männlichen Protagonisten Hans: Beschreiben Sie, wie er sich im Laufe des Romans entwickelt.*
- *Empfehlen Sie das Buch den Lesern des Forums.*

Bei der Bewertung wird unter anderem auf Folgendes geachtet:

– Haben Sie alle Aspekte der Aufgabenstellung bearbeitet?
– Ist Ihr Text klar gegliedert?
– Haben Sie eine zusammenhängende Darstellung gegeben?
– Sind Wortwahl und Stil der Textsorte angemessen?

Bewertungskriterien Schreiben Teil 2

Lesen Sie die folgenden detaillierten Bewertungskriterien. Überlegen Sie, ob Ihr Text den Kriterien entspricht. Wenn Sie unsicher sind, machen Sie zuerst: *Darüber hinaus* – Übungen zur Textproduktion des Moduls Schreiben, Seite 86 ff.

	4 Punkte	3 Punkte	2 Punkte	1 Punkt	0 Punkte
Erfüllung der Aufgabenstellung	alle Inhaltsaspekte angemessen behandelt	zwei Inhaltsaspekte angemessen behandelt	alle Inhaltsaspekte nur knapp behandelt	ein Inhaltsaspekt behandelt oder zwei Inhaltsaspekte knapp behandelt	Thema verfehlt, Textumfang zu gering*
Textaufbau	durchgängig effektive, klare Darstellung bzw. Argumentation	Aufbau und Argumentation erkennbar	Darstellung bzw. Argumentation stellenweise unklar	Absätze unverbunden aneinandergereiht, Darstellung bzw. Argumentation über weite Strecken unklar.	Darstellung bzw. Argumentation unklar
Kohärenz	Verknüpfungsmittel komplex, variabel, flexibel eingesetzt	verschiedene Verknüpfungsmittel angemessen eingesetzt	wenige Verknüpfungsmittel, wenig abwechslungsreich	einfach strukturierte Sätze, unverbunden aneinandergereiht	Text inkohärent
Wortschatz	breites Spektrum, flexibel und differenziert eingesetzt	Spektrum angemessen, Fehlgriffe stören den Lesefluss nicht	Spektrum angemessen, einzelne Fehlgriffe stören den Lesefluss oder: Spektrum begrenzt, aber Fehlgriffe stören den Lesefluss nicht	kaum Spektrum vorhanden und Fehlgriffe behindern den Lesefluss	Text unverständlich
Strukturen	breites Spektrum, flexibel eingesetzt, vereinzelte Regelverstöße in Morphologie, Syntax, Orthographie und Interpunktion	Spektrum angemessen, Regelverstöße stören den Lesefluss nicht	Spektrum angemessen, einige Regelverstöße stören den Lesefluss *oder:* Spektrum begrenzt, häufige Regelverstöße, die den Lesefluss jedoch nicht stören	kaum Spektrum vorhanden und Regelverstöße behindern den Lesefluss	Text unverständlich

* Textumfang zu gering = weniger als 50% des geforderten Textumfangs von 350 Wörtern. Wird ein Kriterium mit 0 bewertet, werden alle Kriterien mit 0 bewertet.

Schreiben: Probeprüfung

Teil 1

Dauer: circa 20 Minuten

Überarbeiten Sie das Kurzreferat in den markierten Passagen und verwenden Sie dabei die Wörter aus der rechten Spalte, die **nicht** verändert werden dürfen.
Nehmen Sie alle notwendigen Umformungen vor.
Schreiben Sie dann die neu formulierten Passagen auf den **Antwortbogen**.

Muss man sich in Tiefgaragen und Parkhäusern fürchten?

(0) In meinem heutigen Referat geht es um die Frage, warum sich Menschen in Parkhäusern in der Regel unsicher fühlen. — **(0)** Thema

(1) Wer in der Tiefgarage einparkt, zieht schon durch das Einfahren in die Tiefgarage die Aufmerksamkeit von Fremden auf sich. — **(1)** Einparken

(2) Jede dritte Person ist beunruhigt wegen der Gefährdung ihrer Sicherheit und ihrer Gesundheit. Dabei **(3) müssen beim Bau von Parkgaragen viele Anforderungen berücksichtigt werden.** Einerseits sollen sie ja möglichst viele Autos aufnehmen, am besten gleich zwei oder drei auf „einem Stellplatz", um **(4) möglichst viel Geld** auf kleinstem Raum einzufahren. Andererseits geht es aber auch **(5) darum, an den Erstellungskosten zu sparen.** — **(2)** sorgt; **(3)** gerecht; **(4)** Maximum; **(5)** Verringerung

Allerdings dürfen Sicherheitsstandards und Sicherheitsmaßnahmen nicht **(6) aufgrund von Spar- und Profitwahn vernachlässigt werden.** Dafür sorgt der Gesetzgeber: Sowohl Lüftungsanlagen als auch Lüftungsschächte sind gesetzlich vorgeschrieben: **(7) Abgase sind zwar Bestandteil der Luft,** aber die Lüftungsanlage sorgt dafür, dass die Konzentration nicht gesundheitsschädlich wird. — **(6)** Opfer; **(7)** enthält

Das Argument der Sicherheit **(8) wiegt da schon schwerer.** Vor allem Frauen fühlen sich bedroht: **(9) Da sollen ausgewiesene Frauenparkplätze helfen:** Sie sind besonders beleuchtet, werden von Kameras bewacht und liegen in der Nähe von Fluchtwegen. — **(8)** Gewicht; **(9)** Abhilfe

Besondere Notrufschalter sorgen angeblich für eine weitere Erhöhung der Sicherheit.

Und statistisch gesehen **(10) gibt es in Städten kaum sicherere Orte als Tiefgaragen und Parkhäuser.** — **(10)** gehören

0 *Thema meines heutigen Referats (1 P.) ist (1 P.)*

1 __________

2 __________

3 __________

4 __________

5 __________

6 __________

7 __________

8 __________

9 __________

10 __________

Teil 2

Dauer: 60 Minuten

Wählen Sie aus den folgenden vier Themen **ein Thema** aus.

Thema 1

Sie haben in einem Wirtschaftsmagazin einen Artikel zum Thema „Berufliche Veränderung: ein Vorteil?" gelesen. Schreiben Sie einen ausführlichen Leserbrief (circa 350 Wörter) an die Redaktion, in dem Sie sich auf die drei folgenden Aussagen beziehen und Ihre Meinung dazu äußern.

- ► *Es ist sinnvoll, alle paar Jahre das berufliche Aufgabenfeld zu wechseln, um sich persönlich und professionell weiterzuentwickeln.*
- ► *Um fachliche Expertise zu erreichen, muss man sich längere Zeit mit einem Themenbereich auseinandersetzen.*
- ► *Unüberlegter Arbeitsplatzwechsel kann schnell zum Karrierenachteil werden.*

Bei der Bewertung wird unter anderem auf Folgendes geachtet:

– Haben Sie alle Aspekte der Aufgabenstellung bearbeitet?
– Haben Sie Ihre Argumentation begründet und Beispiele gegeben?
– Ist Ihr Text zusammenhängend und klar gegliedert?
– Sind Wortwahl und Stil dem Thema und der Textsorte angemessen?

Thema 2

Sie haben in einer Online-Zeitung einen Artikel zum Thema „Lernen im Alter – wie gut ist das möglich?" gelesen. Schreiben Sie einen ausführlichen Kommentar (circa 350 Wörter) ins Leserforum, in dem Sie sich auf die drei folgenden Aussagen beziehen und Ihre Meinung dazu äußern.

► *Was man in der Jugend nicht gelernt hat, kann man im Alter nicht mehr aufholen.*

► *Die Lernbedingungen und -strategien sind essentiell für den Lernerfolg, egal in welchem Alter.*

► *Lernen, das heißt auch, an vorhandenes Wissen anzuknüpfen – hier haben ältere Menschen die Nase vorn.*

Bei der Bewertung wird unter anderem auf Folgendes geachtet:

– Haben Sie alle Aspekte der Aufgabenstellung bearbeitet?
– Haben Sie Ihre Argumentation begründet und Beispiele gegeben?
– Ist Ihr Text zusammenhängend und klar gegliedert?
– Sind Wortwahl und Stil dem Thema und der Textsorte angemessen?

Thema 3

Sie schreiben für die deutschsprachige Webseite literaturcafe.de eine Buchbesprechung zu „Ruhm“ von Daniel Kehlmann. Die Rezension sollte circa 350 Wörter umfassen.

- *Fassen Sie den Inhalt kurz zusammen.*
- *Erläutern Sie anhand einer oder mehrerer Geschichten die Verschränkung von Realität und Fiktion.*
- *Empfehlen Sie das Buch jugendlichen Leserinnen und Lesern.*

Bei der Bewertung wird unter anderem auf Folgendes geachtet:

- Haben Sie alle Aspekte der Aufgabenstellung bearbeitet?
- Ist Ihr Text klar gegliedert?
- Haben Sie eine zusammenhängende Darstellung gegeben?
- Sind Wortwahl und Stil der Textsorte angemessen?

Thema 4

Sie schreiben für die deutschsprachige Webseite muscheltaucher.de eine Buchbesprechung zu „Der Mond und das Mädchen" von Martin Mosebach. Die Rezension sollte circa 350 Wörter umfassen.

- *Fassen Sie den Inhalt kurz zusammen.*
- *Erläutern Sie anhand einer oder mehrerer Figuren, wie sich das Motiv der Hitze auf ihr Verhalten auswirkt.*
- *Empfehlen Sie das Buch Leserinnen und Lesern in Ihrem Heimatland.*

Bei der Bewertung wird unter anderem auf Folgendes geachtet:

– Haben Sie alle Aspekte der Aufgabenstellung bearbeitet?
– Ist Ihr Text klar gegliedert?
– Haben Sie eine zusammenhängende Darstellung gegeben?
– Sind Wortwahl und Stil der Textsorte angemessen?

Darüber hinaus

Übungen zur Textproduktion des Moduls Schreiben

1a Bearbeiten Sie das freie Thema zu *Teil 2* aus dem Training oder der Probeprüfung. Schreiben Sie eine Stellungnahme in Form eines Leserbriefs oder Artikels. Das folgende Textraster und die dazugehörigen Redemittel helfen Ihnen dabei:

Einleitung – Problemaufriss	Schreiben Sie kurz, worum es in Ihrem Leserbrief / Artikel geht und warum dieses Thema für Sie interessant ist. Welche Fragen und Probleme können sich daraus ergeben? Gehen Sie hier aber nur kurz darauf ein, Sie behandeln sie dann im Hauptteil. In der Einleitung nennen Sie noch keine Argumente. Ihre persönliche Meinung äußern Sie in diesem Teil noch nicht.
Hauptteil – Argumentation	Gehen Sie auf die Aussagen und Meinungen der öffentlichen Diskussion zu diesem Thema ein und beziehen Sie sich implizit oder explizit auf die Zitate. Sie müssen hier nicht wörtlich zitieren. Bestätigen Sie die Meinungen oder fechten Sie diese an. Achten Sie darauf, dass Sie keine bloßen Behauptungen aufstellen, sondern Ihre Argumente immer begründen. Gliedern Sie Ihre Argumentation und heben Sie Gründe hervor, zu denen Sie auch Beispiele nennen. Ziehen Sie auch Vergleiche und setzen Sie die Argumente in Beziehung zueinander.
Schluss(folgerungen)	Greifen Sie kurz noch einmal die Hauptargumente auf und begründen Sie Ihre Einstellung / Ihre Schlussfolgerungen.

b Lesen Sie die Auszüge aus einer Redemittelliste für eine Stellungnahme (zum Beispiel in Form eines Leserbriefs). Markieren Sie die Redemittel, die Ihnen geläufig sind. Ergänzen Sie die Redemittel, die Sie gern oder bevorzugt verwenden und die hier nicht aufgeführt sind.

Bezug zum Thema herstellen

Ihre Artikelserie / Ihr Artikel zum Thema ... ist bei mir auf großes Interesse gestoßen.
Mit Interesse habe ich Ihre Diskussionsrunde zum Thema ... verfolgt.
Ihr Artikel zum Thema ... hat mich nachdenklich / ... gestimmt.

....

....

....

....

den Text gliedern

Zunächst möchte ich erläutern ...
Ein anderer / weiterer nennenswerter Punkt ist folgender: ...
Man sollte insbesondere nicht außer Acht lassen, dass ...
Zusätzlich / Außerdem muss folgende Problematik in Betracht gezogen werden: ...
Nicht zuletzt möchte ich auf ... eingehen.

....

....

....

....

sich auf Meinungen beziehen, Meinungen bestätigen, Meinungen anfechten

Betrachtet man die erste Aussage genauer / unter folgenden Aspekten, ...
Eine (mögliche / notwendige) Folge / Konsequenz dieser Einstellung ist ...
Dem stimme ich völlig / in jeder Hinsicht zu.
Diese Haltung bestätigt meine persönliche Meinung, da ...
Aus meiner Sicht ist diese Einstellung unhaltbar / nicht nachvollziehbar, weil ...
Eine solche Sichtweise kann nur negative Konsequenzen haben: ...

....
....
....
....

Argumente hervorheben und vergleichen

Dafür könnte es verschiedene Ursachen geben: ...
Von Bedeutung könnte auch sein, dass ...
Hierfür ist außerdem ausschlaggebend, dass ...
Lassen Sie mich dazu noch einige Gründe / Beispiele anführen: ...
Ein entscheidender Faktor scheint zu sein, dass ...
Hervorzuheben wäre auch folgender / ein weiterer Gesichtspunkt: ...

....
....
....
....

vergleichen

Verglichen mit ... ist ... / Im Vergleich zu ... kann man in diesem Fall nicht von ... sprechen.
Erfahrungsgemäß ...
... lässt sich eventuell mit ... vergleichen.
Stellt man ... und ... gegenüber, dann ...
Wenn man ... vergleicht, zeigt sich / wird klar / wird deutlich, dass ...
Es / Das / Dasselbe gilt für ... und dafür ..., dass ...
Wägt man ... und ... gegeneinander ab, dann ...

....
....
....
....

schlussfolgern

Abschließend kann ich nur feststellen, dass ...
Zieht man daraus die Konsequenz, so ...
Ein abschließendes Statement könnte folgendermaßen lauten: ...
Zusammenfassend lässt sich festhalten, dass ...
Mein / Das Fazit zu diesem Thema / ... lautet: ...

....
....
....
....

2 Überprüfen Sie Ihren Text unter folgenden Gesichtspunkten

Haben Sie zu jedem Inhaltspunkt etwas geschrieben? Kennzeichnen Sie die zu den Punkten gehörenden Abschnitte.

- Sind Sie sicher, dass die Reihenfolge Ihrer Argumente verständlich / logisch ist?
- Haben Sie die passenden Redemittel verwendet?
- Haben Sie unterschiedliche Redemittel verwendet?
- Ist Ihre Wortwahl der Textsorte entsprechend?
- Haben Sie die Sätze und Abschnitte sinnvoll verbunden?
- Haben Sie auf die korrekte Verwendung der Zeiten geachtet?

Haben Sie auch auf die übrigen „Bewertungskriterien" geachtet?

3a Bearbeiten Sie das literaturgebundene Thema zu *Teil 2* aus dem Training oder der Probeprüfung und verfassen Sie eine Buchbesprechung bzw. Rezension. Das folgende Textraster und die dazugehörigen Redemittel helfen Ihnen dabei – sehen Sie sich ergänzend auch die Redemittel zur Stellungnahme noch einmal an.

Einleitung	Geben Sie kurz ein paar allgemeine Informationen zu Buch und Autor. Sagen Sie auch, warum Sie sich für dieses Buch entschieden haben bzw. was das Buch für Sie interessant macht. Fassen Sie sehr knapp den Inhalt des Buches zusammen. Die Einleitung sollte in keinem Fall mehr als ein Drittel Ihrer Rezension einnehmen.
Hauptteil	Gehen Sie auf die gegebene Fragestellung – meist ein hervorstechendes Merkmal des Buches – ein. Achten Sie darauf, dass Ihre Darstellung zusammenhängend ist und dem Leser / der Leserin alle thematisch relevanten Inhalte aufzeigt, damit er / sie den Hintergrund versteht.
Beurteilung und Empfehlung	Bringen Sie Ihre persönliche Haltung zum Buch auf den Punkt und empfehlen Sie das Buch gegebenenfalls weiter. Begründen Sie Ihre Empfehlung. Achten Sie dabei auf die Adressaten der Rezension.

b Lesen Sie Buchbesprechungen / Rezensionen zu dem Werk, das Sie für die Prüfung gelesen haben.

c Lesen Sie die Auszüge aus einer Redemittelliste für eine Buchbesprechung bzw. Rezension (zum Beispiel in Form eines Blog- oder Forumsbeitrags). Markieren Sie die Redemittel, die Ihnen geläufig sind. Ergänzen Sie die Redemittel, die Sie gern oder bevorzugt verwenden und die hier nicht aufgeführt sind.

eine Buchbesprechung einleiten

Bei … handelt es sich um einen Roman aus dem Jahr …, der durch … bekannt geworden ist.
Der Autor / Die Autorin hat seinen / ihren Bekanntheitsgrad … zu verdanken.
Zu den wichtigsten Merkmalen / Charakteristika des Buches gehören …

……………………………………………………………………………………………

……………………………………………………………………………………………

……………………………………………………………………………………………

……………………………………………………………………………………………

Inhalt wiedergeben

In diesem Roman / ... geht es um ... / Dieser Roman / ... handelt von ...
Schauplatz der Handlung ist ...
Das Buch beschäftigt sich mit der Problematik ...
Von zentraler / entscheidender Bedeutung ist, dass ...
Die Situation wird hier am Beispiel der Hauptfigur dargestellt.
Zentraler Gedanke / Hauptaussage des Romans ist ...
Immer wiederkehrende Motive sind ...

....

....

....

relevante Inhalte aufzeigen / den Leser in den Kontext setzen

Im Zusammenhang / Kontext mit diesem Roman muss man wissen, dass ...
Die Realität, die hinter der Geschichte steht, ...
Hintergrund der Handlung ist ...
Das Buch setzt Wissen über ... voraus. / Wissen über ... ist für das Verständnis der Geschichte unabdingbar.
In dem Roman / ... behandelt der Autor durchaus unterschiedliche / relevante Aspekte des Themas.

....

....

....

ein Buch empfehlen

In ... wird der Roman durchaus kontrovers diskutiert / sehr positiv / nicht so gut bewertet. / ... sieht den Roman durchaus kritisch / empfindet das Buch als problematisch. / Nach Ansicht von ... wird das Buch dem Thema (nicht) gerecht.
Aus diesem Grund kann ich den Roman von ... nur empfehlen / bedingt empfehlen / nicht empfehlen.
Mehrere Gründe sprechen gegen eine Weiterempfehlung des Buches: ...
Trotz seiner Langatmigkeit / komplexen Sprache / blumigen Bildsprache / ... kann der Roman den Leser / die Leserin dennoch begeistern, weil ...
Die Erzählung beinhaltet neben ... auch noch ... – ein weiterer Grund, das Buch einmal selbst zu lesen.
... machen das Werk von ... empfehlenswert für den modernen Leser / die moderne Leserin.
... machen den Roman zu einem einzigartigen / außergewöhnlichen Werk.

....

....

....

4 Überprüfen Sie Ihren Text unter folgenden Gesichtspunkten

Haben Sie zu jedem Inhaltspunkt etwas geschrieben? Kennzeichnen Sie die zu den Punkten gehörenden Abschnitte.

- Sind Sie sicher, dass die Reihenfolge Ihrer Argumente verständlich / logisch ist?
- Haben Sie die passenden Redemittel verwendet?
- Haben Sie unterschiedliche Redemittel verwendet?
- Ist Ihre Wortwahl / Ihre Sprache der Textsorte entsprechend und adressatengemäß?
- Haben Sie die Sätze und Abschnitte sinvoll verbunden?
- Haben Sie auf die korrekte Verwendung der Zeiten geachtet?
- Haben Sie auch auf die übrigen „Bewertungskriterien" geachtet?

Modul Sprechen

Prüfungsziel

Prüfungsziel dieses Moduls ist es, zu zeigen, dass man sich zu unterschiedlichen Sprechanlässen differenziert, kohärent und flüssig äußern kann. Im **Modul Sprechen** werden sowohl die Produktion (**Teil 1**), d. h. monologisches Sprechen, als auch die Interaktion (**Teil 2**), d. h. dialogisches Sprechen, getestet. Dabei werden vom Prüfungsteilnehmenden verschiedene Sprechhandlungen gefordert: zum Beispiel Stellung nehmen, abwägen, erklären, beschreiben, interpretieren, vergleichen, auf Äußerungen der Gesprächspartnerin/des Gesprächspartners eingehen und überzeugen.[1]

Außerdem sollen die Kandidaten zeigen, dass sie sich situations- und partnerangemessen zu komplexen Themen äußern können. Die Prüfungsteile beinhalten drei bzw. zwei Input-Texte, auf die die Teilnehmenden eingehen sollen.

Aufbau und Ablauf

Die mündliche Prüfung wird als Einzelprüfung durchgeführt. Das **Modul Sprechen** dauert insgesamt circa 15 Minuten und besteht aus zwei Teilen. Die Aufgabenstellung zu diesem Modul erhalten Sie kurz vor der Prüfung. Sie bekommen jeweils zwei Vortragsthemen und zwei Diskussionsthemen zur Auswahl. Entscheiden Sie sich jeweils für **eins** der Themen. Sie haben 15 Minuten Zeit, sich darauf vorzubereiten und Notizen zu machen. Hilfsmittel sind dabei nicht erlaubt.

Jeder Prüfungsteil wird durch vorangestellte Textangaben situativ eingebettet.

Prüfungsteile	Textsorte	Aufgabentyp	Zahl der Aussagen	Zeit	Punkte
Teil 1	Vortrag	monologisch	Thema mit 3 Zitaten	10 Minuten	50
Teil 2	Diskussion	dialogisch	Thema mit 2 Statements	5 Minuten	50

Insgesamt können im **Modul Sprechen** 100 Punkte erreicht werden.

1 Steiner, Stefanie: Goethe-Zertifikat C2: Großes Deutsches Sprachdiplom. Prüfungsziele Testbeschreibung. Goethe-Institut. Januar 2011.

Sprechen: Training mit Erläuterungen

Sprechen, Teil 1, Beschreibung

(Dauer: circa 10 Minuten)

Aufgabenstellung

Teil 1 des Moduls Sprechen ist in den Kontext eines Seminars eingebettet. Sie bekommen drei kurze Input-Texte, auf die Sie in einem circa fünfminütigen Vortrag Bezug nehmen sollen.
Im Anschluss daran stellt der/die Prüfende Ihnen Fragen dazu, die auf unterstützende Beispiele oder genauere Erklärungen hinzielen. Je nach Länge Ihres Vortrags kann die Nachfragesituation länger oder kürzer dauern.
Auf diesen Prüfungsteil können Sie sich mit Notizen vorbereiten. Dafür haben Sie 15 Minuten Zeit. In der Prüfung selbst können Sie die Notizen verwenden, sollen aber einen freien Vortrag halten und nicht ablesen.

Ziel des Prüfungsteils

In **Teil 1** sollen Sie einen gut strukturierten, zusammenhängenden, klaren und flüssigen Vortrag halten.

Bewertung

Beim Sprechen werden fünf Kriterien zur Bewertung herangezogen, für die jeweils zwischen 0 und 4 Punkte vergeben werden, d. h. maximal 20 Punkte. Die erreichte Gesamtpunktzahl wird bei der Bewertung mit 2,5 multipliziert. Insgesamt können Sie beim **Modul Sprechen, Teil 1** also 50 Punkte erreichen. Die Bewertungskriterien finden Sie auf Seite 97.

Zeitrahmen

Das Einführungsgespräch dauert circa 2–3 Minuten. Der Vortrag dauert circa 5 Minuten und die Nachfragen dazu dauern circa 2–3 Minuten.

Hinweise zum Üben

- Nehmen Sie sich beim ersten Üben genug Zeit zu wiederholen, aus welchen Bausteinen ein Seminarvortrag besteht und was der Zuhörer von Ihnen erwartet. Konzentrieren Sie sich auf die Struktur des Vortrags und wiederholen Sie in diesem Zusammenhang geeignete Redemittel. Eine Liste mit relevanten Redemitteln finden Sie im Kapitel *Darüber hinaus* – Übungen zur Textproduktion des Moduls Sprechen Seite 102 ff.
- Lassen Sie sich Zeit, Sie sind noch nicht in der Probeprüfung, sondern erst im Trainingsprogramm. Erst in der Probeprüfung sollten Sie alles in der vorgegebenen Zeit wie in der richtigen Prüfung machen.

Tipps für das Training
vor dem Vortrag

- Lesen Sie das Thema des Vortrags und die drei dazugehörigen Zitate.
- Machen Sie sich Gedanken zu Ihrer eigenen Einstellung zu dem Thema und notieren Sie sich Stichpunkte dazu.
- Wägen Sie dann die unterschiedlichen Standpunkte ab – können Sie sich mit einer der Aussagen identifizieren?
- Notieren Sie sich Stichpunkte (keinesfalls ausgeschriebene Sätze) zu den unterschiedlichen Standpunkten.

während des Vortrags

- Strukturieren Sie Ihren Vortrag gut.
- Machen Sie Ihre persönliche Einstellung zum Thema deutlich.
- Beziehen Sie sich auf alle Zitate in der Aufgabenstellung. Dies kann entweder explizit oder implizit geschehen. Sie müssen die Zitate innerhalb Ihres Vortrags nicht wörtlich zitieren.

nach dem Vortrag

- Gehen Sie auf die Fragen des Prüfenden ein und beantworten Sie sie präzise und ausführlich.

Teil 1

Dauer: circa 10 Minuten

Produktion

Wählen Sie aus den beiden Themen **ein Thema** aus.

Thema 1

Sie sind Teilnehmer/-in an einem Seminar zum Thema „Neue Medien im Beruf" und halten dort einen fünfminütigen Vortrag zum Thema „Informationsverarbeitung – Überlastung oder Herausforderung?" Im Anschluss beantworten Sie Fragen dazu.

Wägen Sie unterschiedliche Standpunkte ab. Sie können sich an folgenden Zitaten orientieren. Geben Sie auch Beispiele.

Tipp: Lesen Sie sich zunächst die beiden Themenangebote durch und überlegen Sie, mit welchem Sie spontan mehr assoziieren können bzw. welches Thema Ihnen vertrauter ist. Lesen Sie auch die drei Zitate. Halten Sie sich aber nicht zu lange mit der Themenwahl auf. Sie haben 15 Minuten Zeit, sich vorzubereiten.

„Wer heute in der modernen Berufswelt zurechtkommen möchte, muss fähig sein, viele Informationen gleichzeitig zu verarbeiten."

„Die ständige Reizüberflutung und Informationsverarbeitung führt bei vielen Menschen zu ständiger Erschöpfung."

„Durch die Konfrontation mit vielen – oft irrelevanten – Informationen verlieren Menschen Zeit für die wesentlichen Dinge im Leben."

Tipp: Vergessen Sie nicht, dass Sie einen Vortrag halten, in dem Sie situationsadäquate Redemittel verwenden sollen. Eine Liste finden Sie im Kapitel „Darüber hinaus"

Achten Sie darauf, dass Sie

- Ihren Vortrag gut strukturieren.
- anspruchsvolle Sprache (Wörter, Strukturen) einsetzen.
- Ihre persönliche Einstellung zum Thema klarmachen.

Thema 2

Sie sind Teilnehmer / -in an einem Seminar zum Thema „Interkulturelle Kommunikation" und halten dort einen fünfminütigen Vortrag zum Thema „Die Funktion von Stereotypen". Im Anschluss beantworten Sie Fragen dazu.

Wägen Sie unterschiedliche Standpunkte ab. Sie können sich an folgenden Zitaten orientieren. Geben Sie auch Beispiele.

„Stereotype sind wichtig, um die Vielfalt der Welt greifbarer zu machen."

„Stereotype können zu einer ungerechten Vorverurteilung von Menschen führen."

„Im Fremdsprachenunterricht sollte man von Beginn an vermeiden, über Stereotype zu sprechen."

Tipp: Formulieren Sie die Aussagen mit Ihren eigenen Worten, um sich die Idee bewusst zu machen. Überlegen Sie dann, wie die Zitate im Verhältnis zueinander stehen, das heißt, ob sie sich widersprechen oder ob sie das gleiche Ziel verfolgen. Achten Sie bei Ihrem Vortrag darauf, dass die Struktur dieses Verhältnis auch widerspiegelt. Nur so wird Ihre Argumentation nachvollziehbar und Ihr Vortrag zusammenhängend.

Hinweis: Sie müssen nicht alle Zitate gleich behandeln, Sie können eigene Schwerpunkte setzen.

Achten Sie darauf, dass Sie

- Ihren Vortrag gut strukturieren.
- anspruchsvolle Sprache (Wörter, Strukturen) einsetzen,
- Ihre persönliche Einstellung zum Thema klarmachen.

Tipp: Vergessen Sie nicht, Ihre eigene Meinung deutlich zu machen.

Sprechen, Teil 2, Beschreibung

(Dauer: circa 5 Minuten)

Aufgabenstellung

In **Teil 2** dieses Moduls sollen Sie mit einem/r Muttersprachler/in eine Diskussion zu einem bestimmten Thema führen. Sie bekommen zwei Themen zur Auswahl und müssen eins auswählen. Innerhalb des Themas müssen Sie sich dann für eine Position entscheiden, d. h. Sie übernehmen entweder die Pro- oder Contra-Position.
Ihre Gesprächspartnerin / Ihr Gesprächspartner ist Muttersprachler/in und spricht in authentischem Tempo. Sie tauschen Meinungen aus und stimmen Ihrem Gesprächspartner zu oder nicht.

Ziel des Prüfungsteils

In **Teil 2** sollen Sie eine Diskussion führen und spontan auf die Gegenargumente Ihrer Gesprächspartnerin / Ihres Gesprächspartners eingehen. Sie sollen zu einem komplexen Thema Stellung nehmen, Ihre eigene Meinung vertreten und versuchen, Ihre Partnerin / Ihren Partner davon zu überzeugen.

Bewertung

Auch bei diesem Prüfungsteil werden fünf Bewertungskriterien angewendet, für die jeweils zwischen 0 und 4 Punkte vergeben werden, d. h. maximal 20 Punkte. Die erreichte Gesamtpunktzahl wird bei der Bewertung mit 2,5 multipliziert. Insgesamt können Sie beim **Modul Sprechen, Teil 2** also 50 Punkte erreichen.

Zeitrahmen

Für diesen Prüfungsteil haben Sie circa 5 Minuten Zeit.

Hinweise zum Üben

- Sehen Sie sich entsprechende Diskussionsformate im Fernsehen an oder hören Sie Diskussionen im Radio bzw. laden Sie sich kostenfreie Beiträge aus den Mediatheken herunter.
- Machen Sie sich Notizen zu den verwendeten Redemitteln. Eine Liste mit relevanten Redemitteln finden Sie im Kapitel *Darüber hinaus* – Übungen zur Textproduktion des Moduls Sprechen, Seite 102 ff.
- Sprechen Sie möglichst viel mit Muttersprachlern und führen Sie Diskussionen zu unterschiedlichen Themen.

Tipps für das Training
vor der Diskussion

- Lesen Sie die situative Einbettung und entscheiden Sie sich spontan für die Position, die Sie besser vertreten können.

während der Diskussion

- Eröffnen Sie das Gespräch mit Ihrem Standpunkt.
- Begründen Sie immer Ihre Argumentation und geben Sie Beispiele.
- Gehen Sie auch auf die Gegenargumente Ihrer Gesprächspartnerin / Ihres Gesprächspartners ein und versuchen Sie, diese zu entkräften.
- Versuchen Sie, Ihre Gesprächspartnerin / Ihren Gesprächspartner zu überzeugen.
- Rechnen Sie auch mit provokativen Fragen und reagieren Sie angemessen darauf.

Teil 2

Dauer: circa 5 Minuten

Interaktion

Wählen Sie aus den beiden Themen **ein Thema** aus:

Tipp: Lesen Sie sich zunächst die beiden Themen durch und überlegen Sie, mit welchem Sie spontan mehr assoziieren können bzw. welches Thema Ihnen vertrauter ist. Entscheiden Sie sich dann für eine der beiden Positionen Pro oder Contra. **Sie** eröffnen die Diskussion, damit Ihre Gesprächspartnerin / Ihr Gesprächspartner weiß, welche Position sie/er vertreten muss.

Thema 1: Chancengleichheit durch anonymisierte Bewerbungen?

Sie sind zum genannten Thema zu einer Diskussion eingeladen und gehen mit Ihrer Gesprächspartnerin / Ihrem Gesprächspartner der Frage nach, ob anonymisierte Bewerbungen für mehr Gerechtigkeit bei der Bewerberauswahl sorgen.

Entscheiden Sie sich für eins der folgenden Statements und beginnen Sie die Diskussion.

Pro

Durch anonymisierte Bewerbungen ist der Fokus auf die tatsächlichen Qualifikationen des Bewerbers/der Bewerberin gelegt.

Contra

Spätestens im Vorstellungsgespräch spielen bei der Auswahl von Bewerbern wieder Herkunft und Geschlecht eine Rolle.

Zum Ablauf der Diskussion:

- Vertreten Sie Ihre Meinung und geben Sie Beispiele.
- Gehen Sie auf die Argumente Ihrer Gesprächspartnerin / Ihres Gesprächspartners ein.
- Versuchen Sie, Ihre Gesprächspartnerin / Ihren Gesprächspartner von Ihren Argumenten zu überzeugen.

Thema 2: Selbstständigkeit – Chance oder Risiko?

Sie sind zum genannten Thema zu einer Diskussion eingeladen und gehen mit Ihrer Gesprächspartnerin / Ihrem Gesprächspartner der Frage nach, welche Folgen der Schritt in die berufliche Selbstständigkeit hat.

Entscheiden Sie sich für eins der folgenden Statements und beginnen Sie die Diskussion.

Pro

Als Selbstständiger ist man sein eigener Chef.

Contra

Berufliche Selbstständigkeit bedeutet, ständig mit Unsicherheiten leben zu müssen.

Zum Ablauf der Diskussion:

- Vertreten Sie Ihre Meinung und geben Sie Beispiele.
- Gehen Sie auf die Argumente Ihrer Gesprächspartnerin / Ihres Gesprächspartners ein.
- Versuchen Sie, Ihre Gesprächspartnerin / Ihren Gesprächspartner von Ihren Argumenten zu überzeugen.

Bewertungskriterien Sprechen

Lesen Sie die folgenden detaillierten Bewertungskriterien. Überlegen Sie, ob Ihr Vortrag und Ihr Gespräch den Kriterien entsprechen. Wenn Sie unsicher sind, machen Sie zuerst die Übungen: *Darüber hinaus* – Übungen zur Textproduktion des Moduls Sprechen, Seite 102 f.

	4 Punkte	3 Punkte	2 Punkte	1 Punkt	0 Punkte
Erfüllung von Teil 1, Produktion	Vortrag strukturiert, adressatenbezogen und ausführlich	Vortrag größtenteils strukturiert, adressatenbezogen und Umfang angemessen	Struktur im Vortag erkennbar, einzelne Aspekte unklar und / oder knapp	Struktur im Vortrag kaum erkennbar, viele Aspekte unklar und / oder zu knapp	Thema verfehlt, Umfang nicht ausreichend
Erfüllung von Teil 2, Interaktion	souveräne Gesprächsführung, situations- und partneradäquat	Gesprächsführung situations- und partneradäquat	Gesprächsführung an mehreren Stellen nicht situations- und partneradäquat	wenig initiativ im Gespräch	keine erkennbare Gesprächsführung
Kohärenz	Verknüpfungsmittel komplex, variabel, flexibel eingesetzt	verschiedene Verknüpfungsmittel angemessen eingesetzt	wenige Verknüpfungsmittel, wenig abwechslungsreich	einfach strukturierte Sätze unverbunden aneinandergereiht	Äußerung inkohärent
Wortschatz	breites Spektrum, flexibel und differenziert eingesetzt, natürliche Kommunikation	Spektrum angemessen, Fehlgriffe stören die Kommunikation nicht	Spektrum angemessen, einzelne Fehlgriffe stören die Kommunikation *oder:* Spektrum begrenzt, häufige Fehlgriffe, die die Kommunikation jedoch nicht stören	kaum Spektrum vorhanden und Fehlgriffe behindern die Kommunikation	Äußerung unverständlich
Strukturen	breites Spektrum, flexibel eingesetzt, natürliche Kommunikation trotz vereinzelter Regelverstöße	Spektrum angemessen, Regelverstöße stören die Kommunikation nicht	Spektrum angemessen, einzelne Regelverstöße stören die Kommunikation *oder:* Spektrum begrenzt, häufige Regelverstöße, die die Kommunikation jedoch nicht stören	kaum Spektrum vorhanden und Regelverstöße behindern die Kommunikation	Äußerung unverständlich
Aussprache und Intonation	Satzmelodie und Wortaktzent natürlich, kaum wahrnehmbare Abweichungen in der Aussprache einzelner Laute	wahrnehmbare Abweichungen in Satzmelodie, Wortaktzent und Aussprache einzelner Laute stören die Kommunikation nicht	Satzmelodie, Wortakzent, Aussprache einzelner Laute stark muttersprachlich geprägt, Verstöße und Abweichungen stören die Kommunikation stellenweise	Satzmelodie, Wortakzent, Aussprache einzelner Laute stark muttersprachlich geprägt, Verstöße und Abweichungen behindern die Kommunikation durchweg	Äußerung unverständlich

Sprechen: Probeprüfung

Teil 1

Dauer: circa 10 Minuten

Produktion

Wählen Sie aus den beiden Themen **ein Thema** aus.

Thema 1

Sie sind Teilnehmer / -in an einem Seminar zum Thema „Konsumverhalten heute" und halten dort einen fünfminütigen Vortrag zum Thema „Werbung – kann man ihr entkommen?". Im Anschluss beantworten Sie Fragen dazu.

Wägen Sie unterschiedliche Standpunkte ab. Sie können sich an folgenden Zitaten orientieren. Geben Sie auch Beispiele.

> *„Werbung beeinflusst unser Konsumverhalten so, dass wir nicht frei sind, unsere Produkte selber auszuwählen."*
>
> *„Werbung hilft dem Konsumenten, aus der Fülle der Angebote das für ihn richtige Produkt auszuwählen."*
>
> *„Werbung fördert das Wirtschaftswachstum."*

Achten Sie darauf, dass Sie

- Ihren Vortrag gut strukturieren.
- anspruchsvolle Sprache (Wörter, Strukturen) einsetzen.
- Ihre persönliche Einstellung zum Thema klarmachen.

Produktion

Thema 2

Sie sind Teilnehmer / -in an einem Seminar zum Thema „Regionale Landwirtschaft“ und halten dort einen fünfminütigen Vortrag zum Thema „Lebensmittel der Saison – wirklich eine Einschränkung?“. Im Anschluss beantworten Sie Fragen dazu.

Wägen Sie unterschiedliche Standpunkte ab. Sie können sich an folgenden Zitaten orientieren. Geben Sie auch Beispiele.

„Als umweltbewusster Mensch hat man heutzutage die Pflicht, sich von saisonalen Produkten zu ernähren und die lokale Landwirtschaft zu unterstützen.“

„Nur saisonale Produkte zu kaufen bedeutet, sich kulinarisch einschränken zu müssen.“

„Wer sich von saisonalen Lebensmitteln ernährt, tut seinem Körper etwas Gutes.“

Achten Sie darauf, dass Sie

– Ihren Vortrag gut strukturieren.
– anspruchsvolle Sprache (Wörter, Strukturen) einsetzen.
– Ihre persönliche Einstellung zum Thema klarmachen.

Teil 2

Dauer: circa 5 Minuten

Interaktion

Wählen Sie aus den beiden Themen **ein Thema** aus:

Thema 1: Das flexible Büro – ist der digitale Schreibtisch die Zukunft?

Sie sind zum genannten Thema zu einer Diskussion eingeladen und gehen mit Ihrer Gesprächspartnerin / Ihrem Gesprächspartner der Frage nach, ob man in Zukunft nur noch einen digitalen Schreibtisch braucht.

Entscheiden Sie sich für eins der folgenden Statements und beginnen Sie die Diskussion.

Pro

Alle wichtigen Arbeitsmaterialien sind digital gespeichert und sind an jedem Ort abrufbar.

Contra

Der individuelle Charakter des Arbeitsplatzes geht verloren.

Zum Ablauf der Diskussion:

- Vertreten Sie Ihre Meinung und geben Sie Beispiele.
- Gehen Sie auf die Argumente Ihrer Gesprächspartnerin / Ihres Gesprächspartners ein.
- Versuchen Sie, Ihre Gesprächspartnerin / Ihren Gesprächspartner von Ihren Argumenten zu überzeugen.

Interaktion

Thema 2: Hat Deutsch als Wissenschaftssprache eine Zukunft?

Sie sind zum genannten Thema zu einer Diskussion eingeladen und gehen mit Ihrer Gesprächspartnerin / Ihrem Gesprächspartner der Frage nach, ob man sich für die Verbreitung von Deutsch als Wissenschaftssprache einsetzen sollte.

Entscheiden Sie sich für eins der folgenden Statements und beginnen Sie die Diskussion.

Pro

Man sollte auch in den Wissenschaften die Verwendung von Muttersprachen fördern, um zu deren Erhalt beizutragen.

Contra

Wissenschaftliche Texte auf Deutsch können sich im internationalen Kontext nicht durchsetzen.

Zum Ablauf der Diskussion:

- Vertreten Sie Ihre Meinung und geben Sie Beispiele.
- Gehen Sie auf die Argumente Ihrer Gesprächspartnerin / Ihres Gesprächspartners ein.
- Versuchen Sie, Ihre Gesprächspartnerin / Ihren Gesprächspartner von Ihren Argumenten zu überzeugen.

Darüber hinaus

Übungen zur Textproduktion des Moduls Sprechen

1a Bereiten Sie einen fünfminütigen Vortrag zu einem oder mehreren Themen aus dem Training oder der Probeprüfung vor. Das folgende Textraster und die dazugehörigen Redemittel helfen Ihnen dabei:

Einleitung – Vorstellung des Themas	Nennen Sie hier das Thema Ihres Vortrags: *In meinem Vortrag werde ich über ... sprechen.* *Ich befasse mich mit der Frage / dem Thema ...* *Das Thema meines Vortrags ist ...*
Beschreibung des geplanten Aufbaus	Sagen Sie ganz kurz, worüber Sie in den nächsten Minuten sprechen werden. Zählen Sie noch keine Argumente auf und äußern Sie hier keine Meinung, greifen Sie Ihrem Schluss nicht vor. *Zunächst möchte ich auf ... eingehen.* *Dann gehe ich auf folgende Punkte ein ...* *Es folgt danach eine Zusammenfassung ...* *Am Ende möchte ich ...*
Hauptteil des Vortrags	Präsentieren Sie Ihre Inhaltspunkte / Argumente so, wie Sie sie vorbereitet haben. Bleiben Sie auch dabei, wenn Sie plötzlich das Gefühl haben, etwas anderes wäre jetzt wichtiger. Sie laufen Gefahr, den Faden zu verlieren, wenn Sie die Reihenfolge während Ihres Vortrags ändern: • Gliedern Sie Ihren Vortragsverlauf. Machen Sie Ihrer Zuhörerschaft deutlich, wenn ein neuer Inhaltspunkt beginnt. • Heben Sie wichtige Aspekte innerhalb Ihrer Argumentation hervor. Auch das hilft der Zuhörerschaft, den Vortrag zu verstehen: So bündeln Sie Argumente. • Ziehen Sie Vergleiche heran und geben Sie Beispiele. Das hilft, inhaltliche Bezüge zwischen Ihren Argumenten herzustellen.
Schluss: Zusammenfassung und / oder Fazit	Fassen Sie das Thema und die Hauptargumente (Inhaltspunkte) noch einmal ganz kurz zusammen. *Ich fasse jetzt noch einmal die wichtigsten Punkte zusammen: ...* Fazit: Formulieren Sie Ihre abschließende Haltung / Ihre Meinung. *Als Fazit ergibt sich ... / Meine Schlussfolgerung lautet also ...*

b Lesen Sie die Auszüge aus einer Redemittelliste für den Vortrag. Markieren Sie die Redemittel, die Ihnen geläufig sind. Ergänzen Sie die Redemittel, die Sie gern oder bevorzugt verwenden und die hier nicht aufgeführt sind.

eine Einleitung formulieren

In meinem Vortrag / meiner Präsentation geht es um … / werde ich über … sprechen / befasse ich mich mit dem Thema / der Frage …

Ich möchte Ihnen kurz folgendes Thema vorstellen: … / Ich möchte Ihnen kurz zeigen / darstellen, was … ist, woher … kommt und was …

....

....

....

....

einleitend den Aufbau beschreiben

Lassen Sie mich vorab den Aufbau des Vortrags skizzieren / erst einmal sagen, wie ich mir das vorgestellt habe / vorstelle: …

Zunächst möchte ich auf ... eingehen. / Im ersten Teil werde ich mich mit ... beschäftigen.

Als nächstes komme ich zu ...

Dann möchte ich das Thema aus Sicht von ... untersuchen / beleuchten / darstellen / beschreiben / behandeln.

Ein weiterer Punkt ist ... / wird ... sein.

Im dritten Teil meines Vortrags wende ich mich ... zu.

....

....

....

....

den Vortrag gliedern

Zum ersten Punkt: ...

Allerdings müssen wir auch festhalten / können wir außerdem beobachten, dass ...

Jetzt möchte ich das Augenmerk / den Fokus noch auf ... legen / lenken.

Nun sollten wir uns der Frage zuwenden, was ...

....

....

....

....

Aspekte hervorheben

Dafür könnte es verschiedene Ursachen geben …

Von Bedeutung könnte auch sein, dass …

Interessant ist dabei sicher für viele …

Man nimmt an / vermutet / geht davon aus, dass … die Ursache dafür / für … ist.

Hierfür ist außerdem ausschlaggebend, dass …

Lassen Sie mich dazu noch einige Gründe / Beispiele anführen: …

Ein entscheidender Faktor scheint zu sein, dass …

Hervorzuheben wäre auch ein weiterer / folgender Gesichtspunkt: …

....

....

....

....

vergleichen

Verglichen mit … ist … / Im Vergleich zu … kann man bei … nicht von … sprechen.
In meinem Erfahrungsbereich / Nach meiner Erfahrung …
… lässt sich eventuell mit … vergleichen.
Stellt man … und … gegenüber, dann …
Wenn man … vergleicht, zeigt sich, dass …
Es gilt für … und für …, dass …
Wägt man … und … gegeneinander ab, dann …

……………………………………………………………………………………………………
……………………………………………………………………………………………………
……………………………………………………………………………………………………
……………………………………………………………………………………………………

Fazit ziehen

Abschließend können wir festhalten / lässt sich also sagen, ...
Man könnte vielleicht zusammenfassend sagen, dass...

……………………………………………………………………………………………………
……………………………………………………………………………………………………
……………………………………………………………………………………………………
……………………………………………………………………………………………………

2 Lesen Sie die Auszüge aus einer Redemittelliste für die Diskussion. Markieren Sie die Redemittel, die Ihnen geläufig sind. Ergänzen Sie die Redemittel, die Sie gern oder bevorzugt verwenden und die hier nicht aufgeführt sind.

eine Diskussion eröffnen

Mein Standpunkt zum Thema ... ist folgender: ...
Ich bin für/gegen ..., weil ...
ich bin der Meinung, dass .../Meines Erachtens ...

……………………………………………………………………………………………………
……………………………………………………………………………………………………
……………………………………………………………………………………………………
……………………………………………………………………………………………………

in einer Diskussion etwas beitragen / das Wort ergreifen

Ich würde gern direkt etwas dazu sagen: ...
Darf ich noch schnell etwas dazu sagen? ...
Ich würde hier noch gern ergänzen, was ich gelesen / gehört habe ...
Ich möchte an dieser Stelle hinzufügen, dass ...
Lassen Sie mich dazu bitte gleich etwas sagen: ...

……………………………………………………………………………………………………
……………………………………………………………………………………………………
……………………………………………………………………………………………………
……………………………………………………………………………………………………

in einer Diskussion Stellung bezüglich des vorher Gesagten nehmen

Ich bin absolut (nicht) der Meinung/Auffassung, dass ...
Das ist doch völlig unbestritten. / Das steht doch außer Frage.
Das ist exakt meine Meinung. / Da kann ich nur zustimmen.
Das Argument, das mich am meisten überzeugt/erstaunt, ist ...
Das leuchtet mir überhaupt nicht ein. Ich finde vielmehr, dass ...
Dahinter steckt doch ein ganz anderes Problem.
Das ist eine sehr pauschale/generalisierende Beurteilung/Behauptung.
Betrachtet man dieses Argument näher, muss man differenzieren ..., denn ...

....

....

....

....

mehrere Argumente im Zusammenhang präsentieren

Die folgenden Argumente sprechen doch eindeutig dafür/dagegen: ...
Man kann wichtige Argumente dafür/dagegen benennen: Zum Beispiel ... / Zum einen ... zum anderen ...
Zunächst einmal muss man doch feststellen, dass ...
Hinzu kommt außerdem, dass ...
Ein weiterer Aspekt/ein weiteres Argument dafür/dagegen ist, dass ...
Man darf auch nicht vergessen, dass ... / Man muss berücksichtigen, dass ...
Für/Gegen ... sprechen folgende Gründe: ...

....

....

....

....

Argumente des Gesprächspartners aufgreifen und nachfragen

Im Gegensatz zu Ihrer Aussage, dass ..., bestätigt ..., dass...
Sie sagen, dass ..., aber in Wirklichkeit ist es doch so, dass ...
Was Sie sagen ist/... doch kein Nachteil/Vorteil für ...
Sie nannten ... als Argument, das hat mich nachdenklich gemacht.
Meinen Sie damit wirklich, dass ...? / Habe ich Sie richtig verstanden, Sie meinen, dass ...?
Sie werden doch nicht bestreiten, dass ...
Aber Sie müssen doch zugeben, dass ...
Ist das nicht bloß eine Behauptung?

....

....

....

....

ausdrücken, dass man nicht der Meinung des Gesprächspartners / der Gesprächspartnerin ist
Sie sagen, dass ..., das halte ich für falsch / das sehe ich ganz anders.
Diese Ansicht / Einstellung kann ich leider nicht teilen.
Das kann ich überhaupt nicht nachvollziehen, weil ...
Das sehe ich absolut nicht so.

....

....

....

....

eine Information des Gesprächspartners / der Gesprächspartnerin in Zweifel ziehen
Sie sagten gerade, dass ... Da würde ich gern nachfragen / nachhaken: ...
Sie sagen, dass ... Aber das kann man doch so wirklich nicht behaupten!
Sie denken, dass ... Also, dagegen habe ich einen Einwand.
Sie vertreten die Meinung, dass ... Ich glaube aber, das muss man differenzierter sehen: ...
Man könnte einwenden, dass ...
Ich glaube nicht, dass diese Argumentation wasserfest ist, da ...

....

....

....

....

Argumente des Gesprächspartners / der Gesprächspartnerin einschränken
Während ...
Mag ja sein, aber ...
Also, das überzeugt mich ehrlich gesagt nicht ganz.
Das trifft doch nur teilweise zu, das müssen Sie zugeben.
Sie haben recht, aber man müsste hier noch einmal genauer hinsehen ...
Ihrem Argument kann ich (nicht) vorbehaltlos zustimmen, denn ...
Angeblich ist es aber so, dass ... / Angeblich ist ...

....

....

....

....

Argumente / Meinungen gegeneinander abgrenzen
Die Begriffe ... und ... haben doch nun wahrlich nichts miteinander zu tun.
Also ... und ... bedeuten nur teilweise dasselbe / haben doch nur eine geringe Schnittmenge.
Man kann für ... sein, wenn man darunter folgende Definition versteht: ..., aber nicht, wenn ...
In der Vergangenheit ... Heute ... aber ...

....

....

....

....

Anhang

Kontrollieren Sie Ihre Lösungen erst, nachdem Sie einen kompletten Prüfungsteil / einen vollständigen Trainingssatz oder die Probeprüfung eines Moduls gelöst haben. Sehen Sie sich die Lösungen einzelner Aufgaben nicht an, während Sie einen Prüfungsteil bearbeiten.

Lesen Sie die Transkriptionen erst dann, wenn Sie einen Prüfungsteil / alle Höraufgaben eines Trainingssatzes oder der Probeprüfung gemacht haben. Sie können dann die Transkriptionen zur Analyse Ihrer Verstehensschwierigkeiten heranziehen. Außerdem eignen sich die Transkriptionen zu Wortschatzübungen und Strukturübungen, wie sie in *Darüber hinaus* angeboten werden.

Lösungen

Modul Lesen

Training mit Erläuterungen

Teil 1: 1 a; 2 c; 3 d; 4 a; 5 b; 6 b; 7 b; 8 d; 9 a; 10 c

Teil 2: 11 C; 12 B; 13 G; 14 A; 15 H; 16 E

Teil 3: 17 F; 18 B; 19 G; 20 C; 21 E; 22 A

Teil 4: 23 C; 24 B; 25 C; 26 A; 27 C; 28 A; 29 B; 30 D

Probeprüfung

Teil 1: 1 a; 2 c; 3 b; 4 b; 5 b; 6 a; 7 b; 8 c; 9 d; 10 c

Teil 2: 11 B; 12 D; 13 F; 14 G; 15 A; 16 E

Teil 3: 17 B; 18 A; 19 G; 20 D; 21 F; 22 C

Teil 4: 23 C; 24 B; 25 D; 26 D; 27 B; 28 A; 29 C; 30 B

Modul Hören

Training mit Erläuterungen

Teil 1: Lügen: 1 nein; 2 ja; 3 nein
Lupineneis: 4 nein; 5 ja; 6 ja
Kopieren: 7 nein; 8 ja; 9 nein
Gesundheit: 10 nein; 11 nein; 12 ja
Studieren im Alter: 13 nein; 14 ja; 15 nein

Teil 2: 16 Georg / Person 2; 17 beide; 18 Anja / Person 1; 19 Anja / Person 1; 20 beide

Teil 3: 21 b; 22 b; 23 c; 24 b; 25 a; 26 b; 27 c; 28 b; 29 c; 30 a

Training

Teil 1: Mensch und Technik: 1 ja; 2 nein; 3 ja
Filmmusik: 4 nein; 5 ja; 6 ja
Physik im Alltag: 7 ja; 8 nein; 9 nein
Energienutzung: 10 nein; 11 ja; 12 ja
Krawatten: 13 nein; 14 ja; 15 ja

Teil 2: 16 beide; 17 Roland/Person 2; 18 beide; 19 Michaela/Person 1; 20 Roland/Person 2

Teil 3: 21 c; 22 b; 23 c; 24 a; 25 c; 26 c; 27 b; 28 a; 29 b; 30 b

Probeprüfung

Teil 1: Wissenschaftssendung: 1 nein; 2 ja; 3 ja
Forschungsexpedition: 4 ja; 5 ja; 6 nein
Wärmeforschung: 7 nein; 8 ja; 9 ja
Wildnis in Städten: 10 nein; 11 ja; 12 ja
Beleuchtung: 13 ja; 14 ja; 15 nein

Teil 2: 16 Klaus/Person 1; 17 Bianca/Person 2; 18 beide; 19 Klaus/Person 1; 20 Bianca/Person 2

Teil 3: 21 b; 22 c; 23 a; 24 c; 25 c; 26 b; 27 a; 28 a; 29 a; 30 b

Modul Schreiben

Training mit Erläuterungen

Teil 1

1: **ist** (1P.) unter Fachleuten noch immer **heftig** (1P.) umstritten
2: Entgegen **der** (1P.) ursprüngliche**n** (1P.)
3: **leistet** (1P.) das bloße Hören von klassischer Musik **keinen** (1P.) Beitrag zur Entwicklung von Intelligenz
4: gibt **es** (1P.) **verschiedene/unterschiedliche**/(geteilt**e**) (1P.) Meinungen
5: **üben** (1P.) Intellektuelle wie der Philosoph Ralph Schumacher Kritik **am** (1P.) empirische**n** Vorgehen
6: **neuen** (1P.) Schwung in die Debatte **bringt** (1P.) / die Debatte wieder **in** (1P.) Schwung **bringt** (1P.)
7: **zwischen** (1P.) häufige**m** Singen und Schulreife ein Zusammenhang **besteht** (1P.)/es **zwischen** (1P.) häufige**m** Singen und Schulreife einen Zusammenhang **gibt** (1P.)
8: **nach** (1P.) Einschätzung von uneingeweihten Ärzten **waren** (1P.) 88 Prozent der Sänger und lediglich 44 Prozent der Nicht-Sänger regelschulreif
9: **galt** (1P.) auch **für** (1Pt.) Kinde**r** aus bildungsfernen Schichten
10: **Das** gute (1P.) Abschneiden **der** (1P.) Kinder

Probeprüfung

Teil 1

1: **Beim** (1Pt.) Einparken in eine Tiefgarage zieht **man** (1Pt.) schon
2: sorgt **sich** (1P.) jede dritte Person **um** (1P.) ihre Sicherheit und ihr**e** Gesundheit
3: muss **man** (1P.) beim Bau von Parkgaragen viele**n** Anforderungen gerecht **werden** (1P.)
4: **das/ein** (1P.) Maximum **an** (1Pt.) Geld
5: um (1P.) die Verringerung **von** (1Pt.) Erstellungskosten
6: (zum/ein) Opfer **von** (1P.) Spar- oder gar Profitwahn (Weglassen von 'vernachlässigt': 1P.)
7: **Die** (1P.) Luft enthält zwar Abgase (Inversion: 1P.)
8: **hat** (1P.) da schon **mehr** (1P.) Gewicht / **fällt stärker/mehr** (1P.) ins (1P.) Gewicht
9: Abhilfe **schaffen** (1P.) ausgewiesene Frauenparkplätze (**Weglassen** von 'helfen': 1P.)
10: gehören Tiefgaragen und Parkhäuser **zu** (1P.) **den sichersten** (1P.) Orten in Städten.

Texttranskriptionen

1.1

Modul Hören

Hören: Training mit Erläuterungen

1.2

Teil (Aufgabe) 1

Sie hören fünf Ausschnitte aus Radiosendungen zu verschiedenen Themen. Zu jedem Ausschnitt gibt es drei Aufgaben. Entscheiden Sie, ob die Aussagen mit dem Textinhalt übereinstimmen oder nicht. Kreuzen Sie an. Sie hören die Texte einmal.

1.3

Sie hören jetzt einen Ausschnitt aus einem Radiobericht zum Thema „Lügen". Sehen Sie sich die Aufgaben 1–3 an. Und lesen Sie auch das Beispiel.

[Pause: 15 Sekunden]

♪ [Gong]

1.4

Ein Uni-Professor behauptet: Jeder Mensch lügt etwa 200 Mal am Tag – diese Meldung war vor einigen Jahren in den Zeitungen zu lesen. Der Professor wurde sogar namentlich benannt: Jochen Mecke von der Universität Regensburg.

Professor Mecke hat zwar tatsächlich ein Graduiertenkolleg zum Thema »Kulturen der Lüge« geleitet und diese Zahl erwähnt. Jedoch ist er selbst Romanist und hat die Lüge nie quantitativ erforscht. Die Zahl 200 stammt von einem US-amerikanischen Psychologen namens John Frazier und ist offenbar nicht totzukriegen.

In einem anderen Experiment hat ein Uni-Professor seine Studenten in einer Untersuchung zählen lassen, wie oft Menschen tatsächlich lügen. Eine Lüge war demnach »der Ausdruck einer subjektiven Unwahrheit mit Ziel und Intention, im Partner einen falschen Eindruck zu schaffen oder zu erhalten«. Übertreibungen und Auslassungen zählten dazu, Höflichkeiten wie ein nicht aufrichtig gemeintes »Guten Tag« nicht. Die Probanden kamen auf 1,8 Lügen pro Tag, und diese Zahl stimmt erstaunlich gut überein mit anderen Studien – auch da log der Durchschnittsmensch etwa zweimal pro Tag.

Unsere Gesellschaft würde zusammenbrechen, wenn wir einander stets die nackte Wahrheit sagen würden. Aber wenige Lügen am Tag reichen aus, um den Frieden zu wahren.

[Pause: 5 Sekunden]

1.5

Sie hören jetzt einen Ausschnitt aus einer Sendereihe über Lebensmittel. Hier geht es um das Lupineneis. Sehen Sie sich die Aufgaben 4–6 an.

[Pause: 15 Sekunden]

♪ [Gong]

Wer keine Milch verträgt, hat an der Eistheke nur eine eingeschränkte Wahl. Doch jetzt haben Wissenschaftler des Fraunhofer-Instituts in Freising ein cremiges Speiseeis ganz ohne Milch entwickelt. Dazu nutzen Sie die in Norddeutschland wachsende blaue Süßlupine. Aus den Samen der Hülsenfrucht gewinnen die Forscher eine Lupinenmilch, die keinerlei Milchbestandteile enthält und zu Eis weiterverarbeitet werden kann.

Bei dem Eiweiß der Lupine handelt es sich um ein hochwertiges Protein, das vergleichbar mit dem der Sojapflanze ist. Doch im Vergleich zu Soja weist die Lupine ökologische Vorteile auf: Soja wächst hauptsächlich in tropischen Regionen. Dort wird für den Anbau mitunter Regenwald abgeholzt. Die Lupine wächst in Deutschland auf lockeren sandigen Böden, auf denen zum Beispiel auch Roggen angebaut werden kann. Aus diesem Grund ist es von Vorteil, die Lupine als regionalen Rohstoff zu benutzen. Noch etwas spricht für die Lupine: Sie ist nicht gentechnisch verändert wie die Sojabohne. In Zukunft sollen auch Milch und Käse aus Lupinenprotein hergestellt werden. Das hat auch noch einen ökologischen Grund: Um eine Tonne pflanzliche Proteine anzubauen, braucht man nur ein Fünftel der Fläche, die für tierische Proteine benötigt werden. Einen Haken hat die Lupine aber doch: Menschen, die allergisch auf Hülsenfrüchte sind, könnten auch hier mit Allergien rechnen.

[Pause: 5 Sekunden]

Sie hören jetzt einen Ausschnitt aus einem Radiobericht, in dem es um Kopiertechniken von Texten geht. Sehen Sie sich die Aufgaben 7–9 an.

[Pause: 15 Sekunden]

♪ [Gong]

Die Versuchung ist übermächtig: Ein passendes Zitat wird mit der Maus markiert und mit einfachen Tastenkombinationen kopiert und eingefügt – zack, schon ist der fremde Gedanke Teil des eigenen Textes.

Es ist noch nicht lange her, da war das, was man heute Copy and Paste nennt, noch ein Beruf namens Fräulein und das Kommando lautete: Ein Durchschlag bitte. Heute heißen die Sekretärinnen Back-Off-Assistentinnen und der Befehl lautet: Control C – eine veritable Kulturtechnik, die mittlerweile sogar Schüler-, Doktorarbeiten und halbe Romane entstehen lässt.

Der Ahnherr dieses Klammerbegriffs ist allerdings älter als jeder Computer. Mit Cut and Paste wurden im Verlagswesen Manuskripte redigiert, d. h. mit der Schere abschnitts- oder satzweise zurechtgeschnitten und auf leeren Blättern neu zusammengelegt. Das nötige Werkzeug Gummi arabicum, jener zuckerhaltige, wasserlösliche Saft der Akazienwurzel und die Redigierschere, die lang genug war, um eine DIN A4-Seite auf einmal durchzuschneiden.

Heute reicht ein Klick, ein Tastendruck. Die Eroberung des Schreibtisches durch den Computer ist nicht zuletzt der gewaltigen Vereinfachung der einstigen Collagetechnik zu verdanken. Auch wenn der Ruf des Copy und Paste nicht der allerbeste ist. Der Durchschlag mittels Kohlepapier übrigens hat das alles überlebt: Die E-Mail-Kopie heißt bis auf den heutigen Tag CC als Abkürzung für Carbon Copy.

[Pause: 5 Sekunden]

1.7

Sie hören jetzt einen Teil einer Radiosendung zum Thema „Gesundheit“.
Sehen Sie sich die Aufgaben 10–12 an.

[Pause: 15 Sekunden]
♪ [Gong]

Der Organismus benötigt Salz, um Wasser zu binden. Zu wenig Salz führt zu Wasserverlust und damit zu einer Verminderung des Blutvolumens. Blutdruckabfall bis hin zur Ohnmacht ist die Folge. Aus evolutionärer Erfahrung versucht der Organismus alles, um das zu verhindern, und hält Wasser und Salz in den Nieren zurück.

Doch der moderne Büromensch schwitzt selten und verliert kaum Salz, verzehrt aber mehr als doppelt so viel davon wie der frühe afrikanische Homo sapiens. Dieses Übermaß an Salz und dadurch gebundene Wasser lässt den Blutdruck in ungesunde Höhen klettern.

Wissenschaftler untersuchen, wie sich dieses Wissen über die Reaktionen des Immunsystems therapeutisch nutzen lassen könnte. Generell berücksichtigen Ärzte bei uns bisher nur selten evolutionsbiologische Aspekte bei der Behandlung ihrer Patienten oder in der Prävention. Wesentlich populärer ist das Thema Evolutionsmedizin in den USA. Dort haben sich inzwischen sogar Gruppen gebildet, die evolutionäre Fitness zum Programm erheben. Die Anhänger absolvieren ein tägliches Lauf- und Krafttraining, ernähren sich vor allem von Wildfleisch, Fisch, Gemüse und Früchten. Ein bisschen vom Steinzeitjäger zu lernen, täte den meisten modernen Menschen ausgesprochen gut.

[Pause: 5 Sekunden]

1.8

Sie hören jetzt einen Radiobeitrag zum Thema „Studieren im Alter“.
Sehen Sie sich die Aufgaben 13–15 an.

[Pause: 15 Sekunden]
♪ [Gong]

Moderator: Immer mehr Senioren drängen in die Hörsäle. Im Wintersemester waren an den Hochschulen in Bayern knapp 5000 Gasthörer eingeschrieben – die meisten über 60 Jahre alt. Manche jungen Bachelorstudenten betrachten ihre grauhaarigen Kommilitonen mit einem gewissen Argwohn, doch bisher kommen sie gut miteinander aus. Doch die Zahl der Studenten wächst. Kämpfen Jüngere und Ältere jetzt um Hörsaalplätze?

Student: Also in meinem Kunststudium war‘s manchmal schwierig, wenn man bei Zwischenprüfungsvorlesungen hinten nur noch einen Stehplatz hat – das ist blöd. Aber andererseits sind die Seniorenstudenten sehr nette und interessante Gesprächspartner, die sich auch wirklich auf uns Jüngere sehr einlassen. Insofern hoffe ich, dass das ein guter Austausch wird.

Moderator: Die Fakultät für Geschichts- und Kunstwissenschaften ist bei Pensionären und Rentnern besonders begehrt. Der Großteil der Seniorstudenten besucht diese Vorlesungen und Seminare, sagt die Unisprecherin der Ludwig-Maximilians-Universität in München, Katrin Gröschel.

Dennoch hat die Münchner Universität begonnen, das Gesamtangebot des Seniorenstudiums abzubauen. Gestrichen wurden Vorlesungen in Mathematik, Statistik und Physik, geblieben sind die Geisteswissenschaften. Dort wird das Gerangel um einen Sitzplatz künftig wohl noch größer werden.

Ende Teil (Aufgabe) 1

1.9

Teil (Aufgabe) 2

Zwei Arbeitskollegen, Anja und Georg, unterhalten sich über Kinderbetreuung. Entscheiden Sie, ob die Meinungsäußerung nur von einem Sprecher stammt oder ob beide Sprecher in ihrer Meinung übereinstimmen.

Es gibt nur eine richtige Lösung. Sie hören das Gespräch einmal.

Sehen Sie sich die Aufgaben 16–20 an. Lesen Sie auch das Beispiel. Dazu haben Sie 30 Sekunden Zeit.

[Pause: 30 Sekunden]
♪ [Gong]

1.10

Anja:	Hallo Georg! Schön, dass du wieder da bist. Sag mal, ich habe gehört, du warst in Elternzeit?
Georg:	Ach, ja Anja, grüß dich. Ja, ich find's auch schön wieder hier zu sein. Aber die Elternzeit hat mir auch echt gut gefallen.
Anja:	Und der Job hat dir gar nicht gefehlt? Ich mein, du warst doch sogar 'n ganzes Jahr weg, oder?
Georg:	Ja, ich habe das erste Jahr mit meiner Frau zusammen Elternzeit genommen und jetzt im zweiten Jahr übernimmt meine Frau noch mal die Betreuung von Paul. Die Arbeit hat mir schon gefehlt, aber das Jahr jetzt zu Hause war auch richtig schön.
Anja:	Mmh. Da haste ja Glück, dass dir die Rückkehr an den Arbeitsplatz bei uns so leicht gemacht wird.
Georg:	Na ja, das Reinkommen war nicht so leicht, wie's vielleicht scheint, und mein Aufgabengebiet hat sich halt leider auch total verschoben.
Anja:	Also, ich weiß nicht, ob ich das an deiner Stelle gemacht hätte. Jetzt arbeitest du ja unter schlechteren Bedingungen, oder? So eine Zurückstufung würde ich nicht in Kauf nehmen. Irgendwie geht da verloren, was man sich vorher erarbeitet hat. Da steckt doch auch Selbsterfüllung drin. Etwas Gleichwertiges kann man zu Hause doch gar nicht erleben.
Georg:	Ich hatte ja auch so dieses Gefühl, ich werde bei der Arbeit gebraucht, ich wäre irgendwie unersetzlich in der Firma, aber ich habe gelernt, dass man im Familienleben genauso diese Selbstverwirklichung finden kann. Es geht dabei ja auch darum, gebraucht zu werden, etwas auf die Beine zu stellen.
Anja:	Aber 'n ganzes Jahr? Auf der anderen Seite kann ich eure Entscheidung auch verstehen. Das ist ja immer 'n Spagat zwischen dem beruflichen und privaten Glück, den man hinbekommen möchte. Ich denk auch, die ersten zwei Jahre sind ganz schön wichtig für die Eltern-Kind-Beziehung. Das weiß ich ja auch.
Georg:	Da hast du recht. Das war aber nicht der Hauptgrund. Auf diesem Gebiet gibt es so viele Meinungen. Ich habe auch gehört, dass Kinder schon sehr früh in Krippen gegeben werden können, wenn die Eltern-Kind-Bindung stabil ist.
Anja:	Ja, aber wichtig ist in diesem Fall, dass die Bezugspersonen nicht ständig wechseln.

Georg:	Ach du, ich denke, die Beziehung von uns und Paul ist ziemlich gut und er würde in einer Krippe schon zurechtkommen, selbst wenn er dort mehrere Erzieher hätte. Nein, uns geht es eher um etwas anderes: Weißt du, in den ersten zwei Jahren passiert so viel. Jeder Tag ist eine Art kleines Wunder. Wir haben wirklich versucht, einen Weg zu finden, dass jeder von uns beiden viel vom Kind mitbekommt.
Anja:	Na ja, eine denkbare Alternative für mich wäre auch, nur halbtags zu arbeiten. Dann ist das Kind ja nur vormittags in der Krippe und dann hätte man noch den ganzen Nachmittag und Abend zusammen.
Georg:	Das wäre uns sehr schwergefallen, Paul zu fremden Leuten zu geben.
Anja:	Aber glaubst du nicht, dass er auch etwas verpasst? Ich meine, so eine Krippe kann ja auch Vorteile haben. Die Kinder werden viel selbstständiger, müssen sich in ein soziales Umfeld einfügen und im Kindergarten brauchen sie dann gar keine Eingewöhnungsphase mehr.
Georg:	Also, ich denke, es reicht, wenn Paul so mit drei in den Kindergarten kommt. Ich war doch auch nicht in der Krippe und *(lacht)* also, als besonders kontaktscheu würde ich mich nicht bezeichnen …
Anja:	Da hast du recht *(lacht auch)*, aber die Krippen heutzutage sind ja auch ganz anders als damals bei uns. Die bieten ja auch schon eine gezielte Förderung der Kinder an. Die Sprach- und Denkfähigkeit der Kleinen wird geschult und sie sind dann schon viel fitter, wenn sie in den Kindergarten kommen.
Georg:	Stimmt schon, dass es in Krippen für die Kinder ein enormes Angebot gibt. Aber meiner Meinung nach nichts, was wir – also meine Frau und ich – nicht auch auf die Beine stellen könnten. An sich halte ich das Krippenangebot aber für eine gute Sache, besonders wenn man Karriere machen möchte.
Anja:	Mh. Hör mal, ich hab jetzt gleich noch einen Termin. Lass uns doch mal zusammen Mittagessen gehen.
Georg:	Ja, klar, gern. Bis bald. Tschüss.
Anja:	Guten Start wünsch ich dir!

[Pause: 10 Sekunden]
Ende Teil (Aufgabe) 2

Teil (Aufgabe) 3

Sie hören ein Interview mit dem Philosophen Robert Menasse.

Kreuzen Sie bei den Aufgaben 21–30 die richtige Lösung an (a, b oder c). Es gibt nur eine richtige Lösung.

Sie hören das Gespräch zweimal.

Sehen Sie sich die Aufgaben 21–30 an und lesen Sie auch das Beispiel. Dazu haben Sie 2 Minuten Zeit.

[Pause: 120 Sekunden]
♪ [Gong]

Moderator Gehrs: Guten Tag, Herr Menasse.

Menasse: Guten Tag, Herr Gehrs.

Moderator: Sie sind Philosoph und Essayist von Beruf und arbeiten als freier Schriftsteller und Autor in Wien. Sie haben sich intensiv mit dem Thema *Arbeit* auseinandergesetzt. Ist das eigentlich Arbeit, was wir hier gerade machen?

Menasse: Sie meinen, ein Interview zu führen? Das kommt ganz darauf an. Ich habe schon Interviews erlebt, die Schwerstarbeit waren. Es ist anstrengend, wenn ich meine Aussagen am Ende nicht mehr wiedererkenne. Es gab aber auch sehr anregende Gespräche, bei denen ich am Ende ein glücklicher Mensch war, auch wenn Fragen zu unangenehmen Themen gestellt wurden.

Moderator: Wenn es schwer ist, ist es also Arbeit?

Menasse: Das scheint die logische Antwort zu sein. Man muss zwischen arbeiten und tätig sein unterscheiden. Wenn die Tätigkeit dazu führt, dass man sich dabei selbst erfährt und seinem Leben einen Ausdruck gibt, dann ist sie nicht entfremdet und vernünftig und somit keine Arbeit. Wenn die Tätigkeit dagegen zur inhaltslosen Routine geworden ist und entfremdet ist, ist es auf jeden Fall Arbeit.

Ich habe übrigens nie verstanden, warum sich Menschen so süchtig über Arbeit definieren wollen und ihr Dasein als sinnhaftes Mitglied der Gesellschaft nur an ihrer Arbeit festmachen.

Moderator: Aber ist es in der Arbeitswelt nicht am einfachsten, sich in vorgegebene Muster zu fügen und klar abgemachte Ansprüche zu erfüllen?

Menasse: Aber es ist doch allzu deutlich, dass der gesamte Arbeitsmarkt von Menschen wimmelt, die entweder eine nicht sinnvolle, nicht befriedigende oder gar eine selbstzerstörerische Arbeit machen. Menschen, die ihre Arbeit mit Angst und nicht mit Befreiung verbinden: Angst vor dem Verlust des Arbeitsplatzes, Angst vor Sanktionen, Angst, die Arbeit nicht zu schaffen. Ich habe den Reiz nie verstanden, der von der Arbeit ausgehen soll.

Moderator: Ihre Arbeit sieht aber ganz reizvoll aus. Den halben Tag sitzen Sie hier im Kaffeehaus und lesen Zeitungen. Wir können aber nicht alle Philosophen werden.

Menasse:	Es geht darum, Dinge zu tun, die man gern tut, und nicht aufzuhören dazuzulernen und nicht immer dieselben Handgriffe zu machen. Also, das bedeutet nicht, dass man von einem weltabgewandten Leben träumt. Denn in der Regel wird sich das, was einem Freude bereitet, mit sozialer Verantwortung und Bedeutung aufladen. Heute haben viele Menschen im Konkurrenzkampf um die Arbeitsplätze eine fast hundertprozentige Ignoranz gegenüber diesem Anspruch. Jeder ist bereit, jede Arbeit zu machen – und sei sie noch so schädlich für andere, für die eigene Seele, für den gesellschaftlichen Zusammenhalt oder den eigenen Körper.
Moderator:	Sie schreiben in Ihrem Buch, dass Arbeit ein Verhängnis sei. Sieht denn aber nicht die Mehrheit der Menschen die Arbeit als Mittel zum Zweck, um danach die Freiheit zu haben, sich Dinge leisten zu können, beispielsweise einen Urlaub oder ein Auto?
Menasse:	Das ist doch lange vorbei – der Glaube, dass man durch Arbeit die Möglichkeit erhält, in einem gewissen Luxus und ohne Geldsorgen zu leben. Heute geht es doch bei den meisten darum, mit dem Gehalt einigermaßen die Wohnung und die Ernährung zu bezahlen. Oder das Bier in der Stammkneipe, in die man sich ohne einen Arbeitsplatz nicht mehr hineintraut.
Moderator:	Aber Sie müssen doch zugeben, dass heute fast jeder in einem gewissen Luxus lebt. Ich kenne zum Beispiel niemanden mehr, der ohne Computer auskommt. Technische Geräte, die übrigens auch aus der Arbeitswelt nicht mehr wegzudenken sind. Und die die Arbeit doch enorm erleichtern, oder?
Menasse:	Auf den ersten Blick mögen Sie recht haben. Wenn man aber genauer hinschaut, wird es immer offensichtlicher, dass aller technologischer Fortschritt, der mit der ideologischen Idee der Arbeitserleichterung daherkommt, letztlich zu Mehrarbeit führt, anstatt uns von der Arbeit zu befreien. Schon früh wurden Maschinen erfunden, um die Handarbeit zu ersetzen. Das hat aber schon damals weniger zur Verringerung der Arbeit geführt, sondern vor allem zur Steigerung der Produktivität. Heute versucht man, auf der Basis technologischer Innovationen und völliger Überproduktion immer wieder Tricks zu finden, um das Wachstum zu steigern. Anstatt zu sagen: Wir nutzen die Technologie, die Maschinen, Computer und Roboter, um uns die Arbeit abnehmen zu lassen und uns inhaltlich wichtigeren Tätigkeiten zu widmen.
Moderator:	Mit einem Laptop kann ich mich ins Café setzen und viele Jobs erledigen. Man kann eine Produktidee realisieren, ohne eine Fabrik zu besitzen. Man kann ein Blog betreiben, ohne Verleger zu sein. Ist durch das Internet nicht doch ein bisschen mehr Freiheit im Arbeitsprozess erreicht worden?

Menasse:	Im Moment schaut es danach aus. Es gibt ja durch das Internet durchaus Entwicklungen und Möglichkeiten, sein Auskommen zu finden, die lange nicht denkbar waren, und das finde ich sehr gut. Andererseits gibt es immer weniger klassische Arbeitsplätze und immer mehr Konkurrenz um diese. Durch das Internet kann jeder überall und zu jeder Zeit arbeiten. Ich sehe das allerdings nicht zwangsläufig als etwas Positives. Genauso wenig wie die Tatsache, dass man Mails innerhalb von 24 Stunden beantworten sollte, wenn man professionell sein möchte. Abschalten ist kaum noch möglich. Außerdem entsteht in diesem neuen Arbeitsfeld der enorme Druck, seine eigenen Jobs zu erfinden, ein Selbstständiger oder Kreativer zu sein. Das bedeutet aber nicht, dass das sinnvollere oder nachhaltigere Dinge sind. Der Druck bedeutet vielmehr, dass man sich auf dem Arbeitsmarkt Nischen neuer entfremdeter Arbeit sucht, in denen man kaum Unterstützung erfährt.
Moderator:	Hat Arbeit also Ihrer Meinung nach letzten Endes etwas Destruktives an sich?
Menasse:	Na ja, also eigentlich sind doch Demokratie und Gerechtigkeit die Werte, die man mit dem Begriff der Arbeit verbinden sollte. Doch hält Arbeit wirklich, was sie verspricht? Wir streben nach erfüllter Zeit und Freiheit im Job. Stattdessen tragen die meisten Menschen zur sozialen Verwüstung bei. Es ist schon sehr destruktiv, dass viele Menschen für Geld jederzeit bereit sind, Jobs mit verheerenden Auswirkungen auf die Umwelt und die Freiheit anderer Menschen auszuüben.
Moderator:	Die meisten benötigen das Geld zum Leben, und manche ziehen vielleicht eine Befriedigung daraus, Anerkennung für ihre Arbeit zu bekommen oder dafür, dass sie ihre Familie ernähren.
Menasse:	Ich bestreite ja nicht, dass man durch Lohnarbeit die Substitute von Freiheit erlangen kann. Dass man etwa im sozialen Umfeld anerkannter ist als ein Arbeitsloser. Und natürlich gibt es den Alleinverdiener, der stolz darauf ist, vom Skikurs der Kinder bis hin zur Kleidung der Frau alles zu bezahlen. Aber das ist ein ideologischer, geliehener Stolz. Denn letztlich sieht sich der Alleinverdiener von Menschen umgeben, die von ihm abhängig sind.
Moderator:	Ist es nicht auch ideologisch, so jemandem seine Selbstverwirklichung abzusprechen?
Menasse:	Ich möchte es ihm ja nicht absprechen, ich bin sogar bereit, das in manchen Fällen zu bewundern. Aber es entspricht doch nicht den Freiheitsmöglichkeiten, die in der heutigen Zeit gegeben sind. Man könnte jedem Menschen garantieren, sinnhaft tätig zu werden. Und beim jetzigen Stand der Produktion und der technischen Möglichkeiten das Fortkommen aller Menschen garantieren – ohne negative Konsequenzen, Ausbeutung und Zerstörung. Diesen Job müssen wir erledigen.

[Pause: 5 Sekunden]

Sie hören jetzt das Gespräch noch einmal.

[Pause: 5 Sekunden]

1.13

Hören: Training

Teil (Aufgabe) 1

Sie hören fünf Ausschnitte aus Radiosendungen zu verschiedenen Themen. Zu jedem Ausschnitt gibt es drei Aufgaben. Entscheiden Sie, ob die Aussagen mit dem Textinhalt übereinstimmen oder nicht. Kreuzen Sie an. Sie hören die Texte einmal.

Sie hören jetzt einen Ausschnitt aus einem Radiobericht zum Thema „Mensch und Technik". Sehen Sie sich die Aufgaben 1–3 an und lesen Sie auch das Beispiel.

[Pause: 15 Sekunden]

♪ [Gong]

Menschen können sich auch in unbekannter Umgebung erstaunlich gut orientieren. Wie wir das machen, erforschen Wissenschaftler im Sonderforschungsbereich Raumkognition der Universitäten Bremen und Freiburg. Für ihre Experimente verwenden die Forscher eine auf Rollen gelagerte Kunststoffkugel, sie kann sich wie eine Art dreidimensionales Hamsterrad in jede beliebige Richtung drehen.

Man steigt in die Kugel und bekommt ein Display aufgesetzt und hat dann zwei Bildschirme vor Augen, die eine virtuelle Welt vorspiegeln, wie man sie aus Computerspielen kennt. Geht man in der Kugel einen Schritt nach vorne, kommt man auch in der vorgespiegelten Realität um die gleiche Distanz voran.

Es geht bei diesem Experiment um die Beantwortung einer lang umstrittenen Frage: Schaffen sich Menschen zur Orientierung eine Art innere Landkarte ihrer Umgebung? Die Informatikerin Kerstin Schill erklärt:

„Menschen können in diesen virtuellen Umgebungen auf der kürzesten Strecke von einem Bild zu einem anderen Objekt gehen. Und obwohl die Versuchspersonen eben keine innere Karte abbilden können, führen sie diese Leistung sehr gut durch. Und d. h., dass der Mensch ziemlich sicher keine kartenartige Repräsentation der räumlichen Umgebung benötigt."

Langfristig soll diese Grundlagenforschung am Menschen dazu beitragen, auch Robotern oder sogar Autos eine ähnlich gute Raumwahrnehmung zu verschaffen. Ohne exakte Karte ihrer Umgebung sind die technischen Geräte bisher weitgehend orientierungslos.

1.14

Sie hören jetzt einen Teil einer Sendereihe über Musik. Hier geht es um Filmmusik. Sehen Sie sich die Aufgaben 4–6 an.

[Pause: 15 Sekunden]

♪ [Gong]

Kaum ein „musikalisches Produkt" ist so verrufen wie Filmmusik: Ein kurzlebiges Fastfood-Produkt, das nach den immer gleichen Strickmustern zusammengeschustert wird?

Filmmusik kann alles sein: vom kommerziellen Massenprodukt bis zum idealistischen Kunstexperiment. In der Praxis bedeutet das Komponieren für den Film oft nur eines: Altbewährtes imitieren: uniformierte Modellmusik für die gröbsten Stimmungslagen.

Filmmusik entsteht außerdem meist unter Zeitdruck – und auch der ist wohl mit ein Grund dafür, dass Filmkomponisten so gerne auf bewährte Rezepte, auf „Klischees" zurückgreifen.

Man trifft dabei oft auf archaische Grundmuster, die bereits in unserer Sprache schlummern und mit denen man sehr zielsicher Gefühle erzeugen kann. Zum Beispiel durch bestimmte Klangfarben. Ein Grundmuster dabei: vokale Enge und vokale Weite. Weite Vokale, die einer Mundöffnung bei Nahrungsaufnahme entsprechen, wirken positiv. Machen wir den Mund eher zu, entsteht eine vokale Enge – die ist immer mit Unlust und unangenehmem Gefühl verbunden. Ähnlich sieht es in Sachen Zeit aus: Unser „Zeitempfinden" ist wesentlich geprägt durch unseren Herzschlag, unseren regulären Puls, der bei circa 72 Schlägen pro Minute liegt: das entspricht Normalzeit, bei der man sich wohl fühlt. Tonhöhen, Harmonik und Intervalle sind eng verbunden mit unserer Körpergestik: große Sprünge können positive, vitale Affekte vermitteln. Die Musik wedelt quasi mit den Armen.

[Pause: 5 Sekunden]

Sie hören jetzt einen Radiobericht über Physik im Alltag. Sehen Sie sich die Aufgaben 7–9 an.

[Pause: 15 Sekunden]

♪ [Gong]

Es gibt einige unbefriedigende Erklärungen für das Phänomen, dass ein heruntergefallenes Butterbrot fast zwangsläufig auf der beschmierten Seite landet. Die erste nennt sich Murphys Gesetz, nach dem alles, was schiefgehen kann, auch tatsächlich schiefgeht.

Ein zweiter Versuch: Das Brot ist auf der beschmierten Seite schwerer als auf der anderen. Aber dieser Faktor ist vernachlässigbar. Experimente haben gezeigt, dass Brote, die man hochkant nach unten fallen lässt, auf beiden Seiten gleich häufig landen.

Aber das Missgeschick passiert ja nicht, weil Leute wild mit Butterbroten um sich werfen, sondern meistens in einer Standardsituation. Das Brot liegt waagerecht auf dem Teller, mit der Butterseite nach oben. Dann wird es aus Versehen heruntergeworfen.

Das überstehende Ende neigt sich vor dem Fall nach unten, dadurch bekommt das Brot einen Rotationsimpuls. Es dreht sich um einen gewissen Winkel, bis es auf dem Boden aufschlägt. Man kann sich leicht klarmachen, dass das Brot bei jedem Winkel zwischen 90 und 270 Grad auf der Butterseite landet.

Das heißt, bei der üblichen Höhe von Esstischen ist die Wahrscheinlichkeit sehr groß, dass das Malheur eintritt. Erst wenn der Tisch über zwei Meter hoch ist, reicht der Schwung aus, um das Brot wieder in seine ursprüngliche Lage – Butter oben – zu drehen.

[Pause: 5 Sekunden]

1.16

Sie hören jetzt einen Ausschnitt aus einer Radiosendung über Energienutzung. Sehen Sie sich die Aufgaben 10–12 an.

[Pause: 15 Sekunden]

♪ [Gong]

Forscher an der Uni Kassel arbeiten an Fenstern, die sich von selber abdunkeln, wenn draußen die Sonne zu grell scheint. Dank mikroskopisch kleiner Spiegelchen, die sie einbauen. Diese sogenannten Mikrospiegel können mit dem bloßen Auge nicht wahrgenommen werden und haben eine Ausdehnung von zur Zeit 100 bis 500 Mykrometern. In einer typischen Fensterscheibe von einem Quadratmeter haben wir mehrere Millionen dieser Mikrospiegel.

Dort im Zwischenraum der heute üblichen Mehrfachverglasung, sind die Mikrospiegel aber nicht starr befestigt, sondern drehbar auf Gelenken montiert. So lassen sich die Spiegel mit Hilfe einer Steuerelektronik ausrichten. Im Hochsommer, wenn es draußen sehr hell ist, klappen die Mikrospiegel einfach um. Licht und Wärme bleiben draußen. Der Clou dabei: Die Spiegel lassen sich einzeln ausrichten. So können spezielle Lichteffekte erzeugt werden. Bewegungssensoren im Wohnraum erkennen, wo sich gerade ein Mensch befindet. Auf diese Weise kann das Licht durch die Mikrospiegel immer genau dorthin geführt werden, wo es gebraucht wird. Mikrospiegel sorgen aber auch dafür, dass die Räume gleichmäßig ausgeleuchtet werden. Dunkle Ecken sind dann passé.

Noch ist dieses Szenario eine Zukunftsvision, doch schon in fünf Jahren könnten die ersten Systeme auf den Markt kommen. Erst in Flugzeugen, später dann in Büros, eines Tages sicher auch in Wohngebäuden.

[Pause: 5 Sekunden]

1.17

Sie hören einen Teil einer Sendereihe über Kleidung. Heute geht es um die Herstellung von Krawatten. Sehen Sie sich die Aufgaben 13–15 an.

[Pause: 15 Sekunden]

♪ [Gong]

Wenn man einen europäischen Krawattenträger frontal anschaut, dann laufen die Streifen auf dem Schlips für den Betrachter praktisch immer von links unten nach rechts oben. Da ist viel hineininterpretiert worden: Irgendwie sehe das dynamischer aus, wie ein aufstrebender Aktienkurs.

Der Grund ist jedoch viel banaler: Tatsächlich wird der Stoff so gewebt, dass die Streifen von oben nach unten verlaufen, aber der Stoff in einer Krawatte ist immer um 45 Grad gedreht, nur so bleibt er formstabil. Bei der Herstellung wird die Schnittschablone diagonal auf den senkrecht gestreiften Stoff gelegt. Und weil die meisten Menschen Rechtshänder sind, verläuft diese Diagonale von links oben nach rechts unten – so kann man mit einem Messer besser schneiden. Es ist leicht nachvollziehbar, dass dieses Verfahren genau zu den bei uns üblichen Streifen führt.

Fährt man aber in die USA, dann stellt man fest: Dort sind Krawatten oft andersherum gestreift, nämlich von links oben nach rechts unten. Dafür kursieren verschiedene Erklärungen: Eine lautet, die Amerikaner hätten irgendwann entschieden, sich modisch von den Engländern abzusetzen. Eine andere besagt: Weil die Arbeiter in den Fabriken dort gern am Arbeitsplatz ihr Mittagessen einnähmen, würde man den Stoff beim Schneiden auf links drehen, um die »gute« Seite zu schonen.

[Pause: 5 Sekunden]

Ende Teil (Aufgabe) 1

1.18

Teil (Aufgabe) 2

Zwei Freunde, Michaela und Roland, unterhalten sich übers Sprachenlernen.

Entscheiden Sie, ob die Meinungsäußerung nur von einem Sprecher stammt oder ob beide Sprecher in ihrer Meinung übereinstimmen.

Es gibt nur eine richtige Lösung. Sie hören das Gespräch einmal.

Sehen Sie sich die Aufgaben 16–20 an. Lesen Sie auch das Beispiel. Dazu haben Sie 30 Sekunden Zeit.

[Pause: 30 Sekunden]
♪ [Gong]

Roland:	Grüß dich, Michaela.
Michaela:	Hallo, Roland. Schön, dass du's pünktlich geschafft hast.
Roland:	Klar. – Du, vorhin im ICE saß ich einer Frau gegenüber, die hat mir erzählt, dass sie zwölf Sprachen spricht. Verrückt, oder?
Michaela:	Was? Das ist ja echt der Wahnsinn! Die muss ja unheimlich sprachbegabt sein.
Roland:	Ja, also, ich muss sagen, ich könnte das nicht. Ich sprech zwar ein paar Sprachen, aber gleich zwölf? Ich frag mich, ob die wirklich so begabt ist oder einfach nur fleißig.
Michaela:	Na ja, also vielleicht muss man's ja auch nur wirklich wollen. War sie denn sehr begeistert?
Roland:	Ja, sie war wirklich total begeistert und hat gar nicht aufgehört zu reden.
Michaela:	Siehste, ich denke, man muss eben nur motiviert genug sein. Und wenn man etwas wirklich will, dann erreicht man's auch.
Roland:	Hm, also, ich bin schon auch motiviert, zum Beispiel Spanisch zu lernen, aber richtig gut bin ich da nicht. Begeisterung alleine reicht meines Erachtens halt einfach nicht aus.
Michaela:	Dann bist du aber einfach nicht genug motiviert.
Roland:	Doch, das bin ich. Aber ich habe nur halt im Moment kein klares Ziel vor Augen. Zum Beispiel wann und wo ich meine Sprachkenntnisse anwenden kann. Vielleicht mit meinen Freunden aus Teruel, aber die sehe ich nur einmal alle zwei Jahre.
Michaela:	Eine Zielvorgabe ist wichtig und die muss genau definiert sein und außerdem im Rahmen deiner Möglichkeiten liegen. Wenn man sich vornimmt, in einem Jahr auf das Niveau eines Muttersprachlers zu kommen, kannst du es ja gleich vergessen. Das ist nämlich unrealistisch.
Roland:	Ach, das Ziel, in einem Jahr richtig gut in einer Sprache zu werden, finde ich eigentlich gar nicht so abwegig. Mit viel Fleiß geht das doch. Man lernt doch schon in der Schule, dass Spracherwerb ohne Arbeit nicht möglich ist. Vokabeln pauken, grammatische Strukturen verinnerlichen, lesen, lesen, lesen …

Michaela:	Hm. Meinst du wirklich? Die Spracherwerbsforschung hat doch schon ganz neue Erkenntnisse gewonnen. Es geht ja nicht darum, möglichst viel zu lernen, sondern möglichst effizient. Das heißt, Qualität zählt mehr als Quantität, also, wichtig ist, wie man lernt.
Roland:	Wie meinst du das genau?
Michaela:	Na ja, es gibt ja ganz unterschiedliche Lernertypen. Also, ich zum Beispiel bin eher der visuelle Sprachenlerner. Ich lerne übers Lesen und Schreiben. Eine Freundin von mir lernt eher auditiv. Sie fährt in ein Land, hat Kontakt mit den Einheimischen und redet einfach drauf los. Ich denke wirklich, es geht darum, dass man sich bewusst macht, was man für ein Lernertyp ist.
Roland:	Ja, das stimmt. Ich bin auch jemand, der eher Schwierigkeiten mit dem Hören hat, dafür aber ganz viel übers Lesen und Produzieren von Texten lernt. Aber dennoch glaube ich, dass das nicht reicht. Es geht nicht ganz ohne Fleiß.
Michaela:	Ich denke nicht, dass es um Fleiß geht, sondern darum, welcher Lernweg für einen selber der richtige ist. Und dann kann man sich ja auch gezielt Lernstrategien zurechtlegen. Zum Beispiel einen Karteikasten für Vokabeln oder man hört regelmäßig Radio und sieht Nachrichten in der Fremdsprache.
Roland:	Das hab ich auch schon versucht, aber geholfen hat das alles noch nicht. Bisher ging das Sprachenlernen ja auch ohne ganz gut. Aber vielleicht habe ich einfach noch nicht die richtige Strategie für mich gefunden. Kannst du mir da vielleicht irgendwelche Tipps geben?
Michaela:	Na klar, ich mach doch gerade einen Finnischkurs an der Volkshochschule und in dem Lehrbuch sind total viele gute Hinweise für unterschiedliche Lernstrategien. Das kann ich dir gern mal leihen.
Roland:	Ja, super!
Michaela:	Da steht übrigens auch drin, dass man eine einmal gelernte Sprache nicht verlernen kann. Also von meinem Schulenglisch weiß ich so gut wie nichts mehr.
Roland:	Hm, also ich weiß nicht. Ich habe eher das Gefühl, dass man sich schon wieder erinnert, wenn man sich in die Lernsituation zurückversetzt. Vielleicht erinnerst du dich nicht mehr an den Lernstoff, weil die Lernsituation so unangenehm war, so in der großen Klasse mit nem doofen Lehrer?
Michaela:	Klingt schon logisch, aber ich denke wirklich, dass nicht mehr viel von meinem Englisch übriggeblieben ist und dass sich dieses Bisschen so ohne Weiteres zurückholen lässt?
Roland:	Na ja, du kannst es ja mal ausprobieren. Setz dich doch einfach noch mal ins Klassenzimmer von damals und lade deinen Lehrer ein.
Michaela:	Da kriegst du mich bestimmt nicht mehr rein.

[Pause: 10 Sekunden]
Ende Teil (Aufgabe) 2

1.19

Hören Teil (Aufgabe) 3
Sie hören ein Interview mit dem Verkaufstrainer Thomas Bottin.

Kreuzen Sie bei den Aufgaben 21–30 die richtige Lösung an (a, b oder c). Es gibt nur eine richtige Lösung.

Sie hören das Gespräch zweimal.

Sehen Sie sich die Aufgaben 21–30 an und lesen Sie auch das Beispiel.

Dazu haben Sie 2 Minuten Zeit.

[Pause: 120 Sekunden]
♪ [Gong]

Moderatorin:	Herr Bottin, Sie arbeiten als Verkaufstrainer. Sind Sie eigentlich tatsächlich ein Trainer oder eher ein Unterhaltungskünstler?
Bottin:	Wenn ich meinen Job gut mache, bin ich beides. Viele Ergebnisse aus der Lernpsychologie sind erst in den vergangenen Jahren in die berufliche Fortbildung eingeflossen. Dazu gehört: Nichts macht das Gehirn für Informationen empfänglicher als Humor. Wenn Menschen lachen, werden sie extrem aufmerksam. Denn sie wollen auf keinen Fall die nächste Pointe verpassen. Als Verkaufstrainer oder Vortragsredner stehst du heute im Wettbewerb mit anderen Unterhaltungsformaten. An denen wirst du unbewusst gemessen. Die Aufmerksamkeitsspanne der Zuhörer hat im Durchschnitt abgenommen, der Kampf um Aufmerksamkeit ist härter geworden. Fernsehserien sind so durchkomponiert, dass der Zuschauer von Höhepunkt zu Höhepunkt getragen wird. Als Verkaufstrainer musst du dich ähnlicher Methoden bedienen, um zu ihm durchzudringen. Nur dann schauen die Leute nicht permanent auf ihre Blackberrys.
Moderatorin:	Welche Methoden sind das?
Bottin:	Ein guter Vortrag muss die richtige Mischung aus kleinen Geschichten, Perspektivwechseln, Phasen mit weniger dichten Inhalten, Pointen und interessanten Fakten enthalten. Hinzu kommen interaktive Elemente. Als Verkaufstrainer muss ich es schaffen, eine sehr enge Verbindung zu meinem Publikum aufzubauen. Dabei achte ich darauf, dass in meinen Geschichten nicht nur Erfolgsmomente vorkommen. Ich habe als Verkäufer viele Fehler gemacht. Aus denen habe ich gelernt. Ich weiß genau: Alle diese Verkäufer kennen die Situation, in der sie Motivationsschwierigkeiten haben. Wenn ich ihnen sage, das ist eure Komfortzone, einen Kreis aufmale und ins Publikum brülle: „Da müsst ihr raus, denn die Geschäfte werden außerhalb des Kreises gemacht!“, hole ich niemanden ab. Aber wenn ich in der Ich-Perspektive Sekunde für Sekunde erzähle, was in mir vorging, auf dem Parkplatz beim Kunden, auf dem Weg zur Tür, dann läuft bei vielen Zuhörern ein Film ab. Sie begreifen, dass alle, auch die Begabtesten, Schwierigkeiten haben, ihre Komfortzone zu verlassen. Dass alle aufschieben wollen. Aber dass sich manche besser motivieren können, mentale Hürden zu überspringen. Das sind eben die Verkäufer, die die besseren Abschlüsse machen.

Moderatorin:	Welche Vorträge müssen Sie besonders häufig halten?
Bottin:	Gebucht werden die klassischen Inhalte des harten Verkaufstrainings. Wie baue ich einen Vertriebsbericht auf? Wie breche ich Widerstände beim Kunden? Das muss man natürlich draufhaben. Noch mehr Spaß machen mir aber die Trainings, die an Schauspielschule erinnern. In denen die verschiedenen Rollen geübt werden und eben die Erzähltechniken, die ich bei meinen Vorträgen selbst intensiv anwende.
Moderatorin:	Auf der Bühne erinnern Sie an einen Komiker.
Bottin:	Ich nehme das mal als Kompliment, auch wenn das vielleicht nicht so gemeint war. Aber, wie ein Komiker versuche auch ich, die Alltagssituationen des Verkäufers zu überspitzen, Besonderheiten herauszuarbeiten, Chancen oder Fehler besonders deutlich zu machen.
Moderatorin:	Haben Ihre Reden eine typische Dramaturgie?
Bottin:	Der Spannungsbogen beginnt bei der Lebenswelt der Leute, um sie abzuholen, dann erste Höhepunkte, Entspannungsphasen, Wiederholungen, am Schluss der Appell oder noch einmal die wichtigste Botschaft. Ein guter Redner komponiert diese Mischung auch spontan um, wenn er merkt, dass sein Publikum nicht voll bei ihm ist. Ich gebe Ihnen ein Beispiel. Der zentrale Inhalt in einem bestimmten Verkaufstrainingsmodul lautet: Die Aufmerksamkeit eines potenziellen Käufers in einem Verkaufsgespräch gilt hauptsächlich der Körpersprache. Dann folgt die Stimmlage und nur ein geringer Teil seiner Aufmerksamkeit sind beim Inhalt. Diese Fakten will ich auf jeden Fall unterbringen. Ich könnte die Zahlen einfach nennen, sie sind eigentlich überraschend genug. Aber dummerweise merke ich, dass die Aufmerksamkeit gerade nicht sehr hoch ist. Dann bitte ich die Zuhörer, einen Kreis in ihren Block zu malen, die Wirkung von Körpersprache, Stimme und Inhalt zu schätzen und den Kreis dann wie ein Tortendiagramm gemäß den Anteilen aufzuteilen. Ich zeichne dann die Lösung ans Flipchart. Ein kleiner, simpler Trick, überhaupt nichts Revolutionäres – aber die Wirkung ist immens. Leute schätzen gern. Sie malen gern ein kleines Diagramm auf ihren Block. Und sie sind gespannt auf die Auflösung. Ich kann sicher sein, dass jeder zumindest die Größenordnung im Kopf behält. Die Kraft eines skurrilen, emotionalen Bildes in einem überraschenden Kontext wirkt übrigens stärker als jede Verkaufsstatistik. Wenn ich Powerpoint und Beamer einsetze, arbeite ich ausschließlich mit emotionalen Bildern. Für mich ist nichts langweiliger als ein Vortrag, den ich an der Wand gleichzeitig mitlesen kann. Wenn ich für einen Kongress zwischen zwei Fachvorträgen mit Powerpoint gebucht werde, weiß ich von vornherein: Hier habe ich leichtes Spiel. Ich spüre, wie dankbar die Leute dafür sind, endlich auch mal ein wenig unterhalten zu werden.
Moderatorin:	Sie malen auch viel auf Flipcharts. Warum?
Bottin:	Auf dem Flipchart erstelle ich die wichtigsten Grafiken oder Diagramme live mit dem Zuschauer. Der denkt mit, wenn die Augen dem Stift folgen. Kurz gesagt: Powerpoint entzieht dem Redner die Energie. Beim Flipchart überträgt sich die Energie des Trainers auf das Publikum.

Moderatorin:	Stehen Verkaufstrainer gerne im Rampenlicht?
Bottin:	Natürlich muss ein Verkaufs- oder Motivationstrainer gerne im Rampenlicht stehen. Und natürlich gehört auch eine große Portion Sendungsbewusstsein dazu. Doch der Grad zwischen Diva und gutem Redner ist schmal. Man muss lernen, sein Ego zu zügeln. Die besten Trainer in der Branche sind für mich diejenigen, die es schaffen, in einer Rede Schritt für Schritt das Publikum in den Mittelpunkt zu stellen. „Wenn ein Redner auf die Bühne kommt, erwartet das Publikum nichts anderes, als beschallt zu werden. Das sind die Gesetzmäßigkeiten. Einer sendet, viele empfangen." Die Kunst besteht für mich darin, den Zuhörer aus seiner Passivität herauszuholen.
Moderatorin:	Warum hat Edutainment ausgerechnet im Vertrieb Konjunktur?
Bottin:	Warum geht ein junger Mensch in den Vertrieb? Weil er gut mit Leuten kann und sich gern unterhält. Wenn Verkäufer vor der Wahl stehen, ein Gespräch zu führen oder ein Buch zu lesen, entscheiden sie sich fast immer für das Gespräch. Menschen mit diesem Profil ziehen auch wenig Nutzen aus komplexen Powerpoint-Folien. Hinzu kommt: Vertriebler, die in ihrem Beruf Erfolg haben und vorwärts kommen, sind sensible Menschen. Das müssen sie sein, denn nur dann spüren sie, was Kunden in der jeweiligen Situation wünschen, und reagieren entsprechend. Die Kehrseite der Medaille ist leider: Verkaufen ist oft mit Zurückweisung verbunden. Mit der können sensible Menschen nicht so leicht umgehen. Vielleicht sind Motivationsveranstaltungen mit hohem Spaßfaktor im Vertrieb deshalb besonders wichtig. Verkaufstalente müssen lernen, mit Frustrationserlebnissen umzugehen. Verkaufstrainings sind Edutainment-Events für Leute, die fast immer als Einzelkämpfer unterwegs sind. Denen hilft es, wenn sie, vermittelt von einem Trainer, in der Gruppe erfahren: Du bist nicht allein da draußen.

[Pause: 5 Sekunden]

Sie hören jetzt das Gespräch noch einmal.

[Gespräch wiederholen]
[Pause: 5 Sekunden]

Hören: Probeprüfung

In diesem Modul hören Sie mehrere Texte. Bearbeiten Sie bitte die dazugehörigen Aufgaben. Vor den Hörtexten gibt es Pausen, in denen Sie die Aufgaben lesen können. Am Ende jeder Pause hören Sie dieses Signal

♪ [Gong]
Schreiben Sie Ihre Lösungen während des Hörens zuerst auf das Aufgabenblatt. Am Ende des Moduls Hören haben Sie drei Minuten Zeit, um Ihre Lösungen auf den Antwortbogen zu übertragen.

Die CD wird jetzt gestoppt. Wenn Sie noch Fragen haben, stellen Sie diese bitte jetzt. Während der Prüfung ist dies nicht mehr möglich.

[Pause: 10 Sekunden]
♪ [Gong]

Hören Teil (Aufgabe) 1

Sie hören fünf Ausschnitte aus Radiosendungen zu verschiedenen Themen. Zu jedem Ausschnitt gibt es drei Aufgaben. Entscheiden Sie, ob die Aussagen mit demTextinhalt übereinstimmen oder nicht. Kreuzen Sie an. Sie hören die Texte einmal.

Sie hören jetzt einen Ausschnitt aus einer Wissenschaftssendung. Sehen Sie sich die Aufgaben 1–3 an und lesen Sie auch das Beispiel.

[Pause: 15 Sekunden]

♪ [Gong]

Vermutlich fast jeder hat schon einmal Kaugummi gekaut. Doch wo kommt die Kaumasse eigentlich her? Wir beginnen in Finnland, dort fand man einen vermutlich 5000 Jahre alten Kaugummi, der aus Birkenharz besteht. Allgemein wird angenommen, dass bereits unsere Vorfahren zur Zahnpflege Kaugummi kauten.

In dem besagten Birkenharz befinden sich nämlich antiseptische Bestandteile, die Bakterien abtöten und somit Entzündungen verhindern können. Die Menschheit knabberte schon immer gern an irgendwelchen Materialien herum: Holz, Elfenbein, Samen, Kräuter, Harze ... Meist dient es auch heute noch der Beruhigung, wie etwa der Schnuller bei Babys, dem Stillen des Hungergefühls, als Zahnputzersatz und als Zeitvertreib.

Beinah jedes Volk der Antike kaute damals schon seinen eigenen Kaugummi: Die Griechen auf dem Harz des Mastixbaumes, Indianer benutzten das Harz von Rottannen und die Mayas kauten das Harz des Sapotinbaumes, genannt Chicle. Ab 1848 wurde ein Vorläufer des heutigen Kaugummis in Amerika verkauft. Hergestellt wurde er aus Fichtenharz, welches mit verschiedenen Geschmacksstoffen angereichert wurde. 1869 fand man beim Versuch, Reifen herzustellen, nebenbei einen Ersatzstoff für das Fichtenharz: synthetischen Kautschuk. Ein Riesenerfolg und der Grundstein für den Kaugummi, wie wir ihn heute kennen.

Nach Deutschland kam der Kaugummi erst gegen Ende des zweiten Weltkriegs durch amerikanische Soldaten, die das Kauvergnügen an Kinder verschenkten.

[Pause: 5 Sekunden]

Sie hören jetzt einen Radiobericht über eine Forschungsexpedition in der Antarktis. Sehen Sie sich die Aufgaben 4–6 an.

[Pause: 15 Sekunden]

♪ [Gong]

Moderatorin: Die Polarstern ist Deutschlands größtes Forschungsschiff. Sie fährt zwischen Nord- und Südpol und bringt Meeresbiologen und Klimaforscher ins Eismeer, damit Sie zum Beispiel untersuchen können, wie Tiere und Pflanzen auf den Klimawandel reagieren.

Zuletzt kam sie aus dem antarktischen Polarmeer, das geprägt ist von Eisbergen und Schelfeis, d. h. Eiszungen, die sich vom Land ins Meer schieben. Mit an Bord war Expeditionsleiter Rainer Knust.

Herr Knust, der Klimawandel lässt die Temperaturen in der Antarktis steigen. Welche Veränderungen lassen sich denn dort beobachten?

Knust:	Also, die auffälligsten Erscheinungen haben wir momentan an der antarktischen Halbinsel. Dort sind seit einigen Jahren große Gebiete des Schelfeises abgebrochen. Jetzt sind dort Flächen frei am Meeresboden, die vorher mit Eis bedeckt waren. Der Rückgang des Schelfeises hat Auswirkungen auf die Pflanzen und Tiere im Meer. Da, wo früher das Eis war, konnte keine Besiedlung stattfinden – und nun ist natürlich zu erwarten, dass diese freie Fläche von Organismen besiedelt wird, die in der näheren Umgebung leben. Das sind vor allem wirbellose Tiere, wie zum Beispiel Seesterne. Diese Besiedlung geht viel langsamer von statten als wir uns das vorgestellt hatten. Das Ökosystem reagiert also sehr empfindlich auf Störungen wie den Klimawandel.
Moderatorin:	Danke, Herr Dr. Knust, Leiter des Expeditionsschiffs Polarstern.

[Pause: 5 Sekunden]

2.4

Sie hören jetzt einen Ausschnitt aus einer Radiosendung über Wärmeforschung. Sehen Sie sich die Aufgaben 7–9 an.

[Pause: 15 Sekunden]

♪ [Gong]

Seit knapp zwei Jahren erkundet der Forscher Sascha Henninger von der Technischen Universität Kaiserslautern im Fußballstadion des 1. FC Kaiserslautern, wie die Wärme, die die Zuschauer über die Haut abstrahlen, die Temperatur im Stadion beeinflusst.

Aus der Grundlagenforschung ist bekannt, dass die Wärmeabgabe von vielen Körpern dafür sorgt, dass die Temperatur in einem Raum ansteigen kann, und die Frage, die für uns jetzt interessant ist, lautet: Funktioniert dies auch in offenen Räumen?

Neben der Lufttemperatur im Fanblock misst Henninger mit einer Wärmebildkamera auch die sogenannte Strahlungstemperatur der Zuschauer. Bis zu 40 Grad geben sie im Fußballfieber über die Haut ab. Hochkochende Emotionen kann man im Wärmebild sehr deutlich und frühzeitig sehen. In der Videoüberwachungszentrale der Polizei behalten die Beamten die Fans im Blick. Mit einer zusätzlichen Wärmebildkamera, meint der Forscher, ließe sich frühzeitiger erkennen, wo die Erregung steigt und eventuell Randale drohen.

Man muss aber gar nicht immer von Randale ausgehen, sondern eher den Fall einer Panik vorhersehen, und da ist es immer gut zu wissen, wie der Mensch in so einem Fall reagiert. Auf diese Weise sind die Stadionbetreiber dann noch besser gewappnet.

[Pause: 5 Sekunden]

2.5

Sie hören einen Radiobeitrag über Wildnis in Städten. Sehen Sie sich die Aufgaben 10–12 an.

[Pause: 15 Sekunden]

♪ [Gong]

Für Touren in die Tundra, in die Wälder Kanadas und andere Sehnsuchtsorte geben manche Tausende von Euro aus. Aber die Wildnis ist heutzutage oft näher als man glaubt. Am meisten Wildnis macht sich in Städten breit, die Einwohner verlieren, etwa im Osten der Republik. Leipzig zum Beispiel ist heute ein Drittel kleiner als es schon einmal war. Unbenutzte Wohnhäuser fallen in sich zusammen. Bis nahe ans Leipziger Zentrum breiten sich Birken- und Ahornwälder aus.

Prof. Dr. Rink und seine Mitarbeiter vom Helmholtz-Zentrum für Umweltforschung haben im Laufe der Jahre in Hunderten von Interviews ermittelt, wie die urbane Wildnis in ihrer Stadt beurteilt wird. Dabei zeigen sich zwei Tendenzen: Wer direkt an städtischer Wildnis wohnt, ist sehr vertraut mit ihr und akzeptiert sie. Wer weiter weg lebt, fürchtet die Wildnis regelrecht und betrachtet auch Viertel, in denen mehr Wildnis vorhanden ist, als generell problematisch. Sie bringen die Bevölkerung dort mit Armut, Rückständigkeit und sozialen Problemen in Verbindung. Dahinter steckt eine lange Tradition, sich selbst für „zivilisiert“ und das Unbekannte für „wild“ zu halten.

Bis heute darf Wildnis im Sinn der Internationalen Naturschutz-Union IUCN von „Natur Natur sein lassen“, in Deutschland offiziell nur auf vergleichsweise verschwindend kleinen Nationalparkflächen stattfinden, und die sind heute noch stark umkämpft.

[Pause: 5 Sekunden]

Sie hören einen Teil einer Radiosendung über eine neue Form der Beleuchtung. Sehen Sie sich die Aufgaben 13–15 an.

[Pause: 15 Sekunden]

♪ [Gong]

OLED, das steht für nur wenige Nanometer dünne Schichten Materialien, die Strom leiten. Sie werden auf ein Glas, eine Metall- oder Plastikfolie aufgetragen und können Licht großflächig abstrahlen. Damit revolutionieren OLEDs den Leuchtmittelmarkt, denn ihre Vorgänger Glühbirne, Energiesparlampe und LED-Licht können nur sehr punktgenau beleuchten oder verschwenden dabei viel Energie. OLEDs dagegen sind äußerst energieeffizient, übertreffen vielfach an Effizienz sogar bisher am Markt führende Leuchtstoffröhren. Und ihre Eigenschaft, auf biegsame und flexible Materialien aufgebracht werden zu können, macht sie besonders für Designer und Architekten attraktiv.

Bislang für verrückt gehaltene Visionen werden durch die OLEDs aus Dresden möglich. Eine leuchtende Tapete könnte das Wohnzimmer der Zukunft ebenso erhellen wie ein mit transparenten OLEDs bestücktes Fenster, das tags durchsichtig ist und nachts strahlt. Ein biegsamer Computerbildschirm scheint ebenso möglich wie elektronisches Papier.

Noch sind große OLED-Flächenleuchten und Bildschirme zu teuer, weshalb die Herstellungsverfahren noch optimiert werden müssen.

„Eine kleine OLED-Kachel kostet derzeit etwa 100 Euro. Längerfristig wollen wir einen Preis von 50 Euro pro Quadratmeter erzielen. Dann ist die einzelne Kachel natürlich viel billiger,“ gibt der Forscher Karl Leo das Ziel vor. Dazu müssen aus Pilotanlagen stabile Massenproduktionsanlagen werden. Das ist für die Forscher in Dresden der nächste Schritt.

[Pause: 5 Sekunden]
Ende Hören Teil (Aufgabe) 1

[Pause: 3 Sekunden]

Hören Teil (Aufgabe) 2

Zwei Bekannte, Klaus und Bianca, unterhalten sich über biologische Produkte. Entscheiden Sie, ob die Meinungsäußerung nur von einem Sprecher stammt oder ob beide Sprecher in ihrer Meinung übereinstimmen. Es gibt nur eine richtige Lösung. Sie hören das Gespräch einmal.

Sehen Sie sich die Aufgaben 16–20 an und lesen Sie auch das Beispiel. Dazu haben Sie 30 Sekunden Zeit.

[Pause: 30 Sekunden]
♪ [Gong]

Bianca:	Hallo, Klaus.
Klaus:	Bianca, ja, hallo!
Bianca:	Kommst du oft auf den Markt? Bisher habe ich dich noch nie hier gesehen.
Klaus:	Nö, ich bin eigentlich recht selten auf dem Wochenmarkt. Normalerweise gehe ich in den Biosupermarkt bei uns um die Ecke. Das ist näher und ich kann mir sicher sein, dass die Lebensmittel unbehandelt sind.
Bianca:	Also, ich gehe viel lieber auf den Markt, denn hier weiß ich, dass die Produkte aus der Region kommen. Und damit unterstütze ich die Bauern aus der Gegend. Wenn man hört, wie viele Produkte im Supermarkt importiert sind und unter sklavenartigen Bedingungen in Massen produziert werden, dann wird einem ganz anders. Und das gilt übrigens auch für sogenannte Bioprodukte.
Klaus:	Die Bauern in der Region zu unterstützen, finde ich richtig. Wenn es heimische Produkte im Biosupermarkt gibt, dann kaufe ich die auch. Aber wichtiger ist mir, dass die Lebensmittel mit so wenig Pestiziden wie möglich behandelt wurden.
Bianca:	Das findest du auf den Wochenmärkten aber auch. Schau da drüben, der Bauer Huber verwendet kein Tiermehl, natürliche Düngemittel und nur ein Minimum an chemischen Schädlingsbekämpfungsmitteln. Wenn ich Lebensmittel kaufe, dann ist das für mich aber nicht das entscheidende Kriterium.
Klaus:	Ich achte da schon drauf. Allerdings bin ich bei diesen Bio-Gütesiegeln ein bisschen skeptisch. Ich fühle mich überfordert zu entscheiden, welches Siegel wirklich für Qualität steht. Mittlerweile haben so viele Produkte irgendein Siegel, dass mir das nicht mehr vertrauenswürdig erscheint.
Bianca :	Also, das finde ich wiederum vollkommen unbedenklich. In der Zeitung stand erst kürzlich, dass man dem staatlichen Bio-Siegel vertrauen kann. Die Waren, die das Siegel tragen, stammen zu 95 % aus ökologischem Landbau und unterliegen einer ständigen Qualitätskontrolle.
Klaus:	Blind den Siegeln bei Lebensmittelkauf zu vertrauen, halte ich dennoch für keine gute Idee. Deswegen achte ich bei jedem Produkt individuell darauf, wie es behandelt wurde.

Bianca :	Also, ich muss sagen, diese ganze „Bio-Geschichte" ist jetzt gerade so modern, weil es „in" ist, auf die Gesundheit zu achten. Ursprünglich hatten die Bioläden nämlich ein ganz anderes Ziel: Sie wollten nachhaltige Agrikultur fördern. Daran denkt aber niemand, wenn er sich einen Bio-Joghurt kauft.
Klaus:	Ja, da hast du sicherlich Recht. Ich denke auch in erster Linie an mich und meine Gesundheit, wenn ich Biosachen kaufe. Alles andere gerät irgendwie in Vergessenheit.
Bianca :	Das gleiche Problem gibt es doch auch beim Biosprit. Kein Mensch denkt an die Nachhaltigkeit, alle wollen immer nur für sich das Beste, beim Kraftstoff heißt das, möglichst wenig Geld ausgeben. Dabei sind nachwachsende Rohstoffe doch wirklich die Zukunft.
Klaus:	Mit Biosprit assoziiert ja fast jeder sofort etwas Positives, aber das stimmt doch so auch nicht. Es werden zwar nachwachsende Rohstoffe, wie Mais, verwendet, aber man bedenkt dabei überhaupt nicht, dass solche Monokulturen langfristig ganze Ökosysteme zerstören, indem sie die ökologische Vielfalt einschränken.
Bianca :	Also, das finde ich jetzt echt übertrieben. Das sind doch nur die Unkenrufe der Ölindustrie, die natürlich mehr Erdöl verkaufen wollen, um ihren Profit zu steigern. Wir müssen doch Veränderungen wagen, um etwas zu bewegen. Sonst bleibt alles beim alten und in 50 Jahren sitzen wir auf einem zerstörten Planeten.
Klaus:	Ich weiß nicht, 'ne Lösung habe ich auch nicht. Ich denk nur, dass man auch an das Thema Biosprit nicht zu bedenkenlos rangehen sollte.
Bianca:	Was ich aber richtig gut finde, sind Fairtrade-Produkte. Da kann man die Entstehung von jedem Produkt zurückverfolgen bis zum Anfang. Und alle am Herstellungsprozess beteiligten Menschen haben auch finanziell etwas davon. Eigentlich sollte jeder zu Fairtrade-Produkten greifen.
Klaus:	Dafür sind solche Produkte echt zu teuer. Sogar ich kann es mir schlichtweg nicht leisten, immer Fairtrade-Kaffee zu kaufen. Aber wenn ich mehr verdienen würde, wäre ich durchaus bereit, für fair gehandelte Produkte mein Geld auszugeben.
Bianca:	Na ja, also, Krösus bin ich ja auch nicht. Ich versuche einfach nur, mir so oft wie möglich Fairtrade-Produkte zu leisten. So fühle ich mich einfach besser.
Klaus:	Du, ich muss los. Ich treff mich gleich mit Elke. Wir gehen einen Fairtrade-Kaffee trinken.
Bianca:	Dann viel Spaß! Bis bald.

[Pause: 10 Sekunden]
Ende Hören Teil (Aufgabe) 2

2.8

Hören Teil (Aufgabe) 3

Sie hören ein Interview mit dem Staubforscher Jens Soentgen. Kreuzen Sie bei den Aufgaben 21–30 die richtige Lösung an (a, b oder c). Es gibt nur eine richtige Lösung.

Sie hören das Gespräch zweimal.

Sehen Sie sich die Aufgaben 21–30 an und lesen Sie auch das Beispiel. Dazu haben Sie 2 Minuten Zeit.

[Pause: 120 Sekunden]
♪ [Gong]

Moderatorin:	Den Job von Jens Soentgen könnte ich nicht machen – er ist Staubforscher und ich habe eine Allergie, aber Staub ist natürlich was elementar Wichtiges. Herr Soentgen, willkommen. Ist die Erde eigentlich nichts als geballter Staub?
Soentgen:	Ja, guten Morgen. Es gibt Leute, die das behauptet haben. Kant hat ja in seiner allgemeinen Naturgeschichte des Himmels erkannt, dass die Erde sich aus Staub gebildet hat und die Planeten und die Sonne auch. Aus einer riesigen Staubwolke haben sich die einzelnen Planeten gebildet und die Sonne natürlich in der Mitte.
Moderatorin:	Sie leiten das Wissenschaftszentrum Umwelt der Universität Augsburg und erforschen den Staub. Warum?
Soentgen:	Wir erforschen den Staub hauptsächlich unter gesundheitlichen Aspekten. Dabei geht es vor allem um den Staub, den wir in der Stadt einatmen. Staub ist ein unglaublich komplexes Phänomen. Dabei geht es nicht nur darum, was aus den Schornsteinen und aus den Auspuffrohren herauskommt, sondern eben auch, was der Wind heranträgt.
Moderatorin:	Das heißt, wenn Sie die Fensterbänke wischen, was wischen Sie da?
Soentgen:	Jahreszeitlich bedingt können das jede Menge Pollen sein, die uns zum Niesen bringen und die Augen tränen lassen. Das ist der natürliche Staub, ohne den sich die Pflanzen gar nicht fortpflanzen könnten, und daneben gibt es den menschgemachten Staub, der durch die vielen Feuer um uns herum entfacht wird. Motoren zum Beispiel, die sind zwar alle verkapselt, aber sie haben ja auch Auspuffrohre, aus denen der Rauch kommt. Wie wirkt sich Staub auf die Gesundheit aus, wo kommt er her und wie kann man ihn mindern? – Das sind die Fragen, die uns beschäftigen.
Moderatorin:	Ja, wenn Sie sagen, wie kann man ihn mindern, gibt es dann bösen Staub und guten Staub?
Soentgen:	Ja, man kann schon sagen, dass bestimmter Staub vermehrt gesundheitlichen Schaden hervorruft, da zählt sicherlich der Staub aus Verbrennungsprozessen deutlich dazu, also der sogenannte Feinstaub, der so 10 Mikrometer groß ist – ein Mikrometer ist ein Tausendstel Millimeter, d. h. etwas, das man kaum noch sehen kann. Im Sommer – wenn Sie die Sonnenbrille aufsetzen und sich die Pollenkörner darauf absetzen – sind sie für den Menschen gerade noch wahrnehmbar. Und alles, was man nur noch als Dunst sieht, ist dann der sogenannte Feinstaub, der in der Forschung eine wichtige Rolle spielt und beim Menschen Krankheiten verursacht. Jetzt weniger das, was wir aus den Wohnungen kennen, also die Wollmaus, das ist schon sehr grober Staub in unseren Begriffen, der

	Allergien hervorrufen kann und unsere Augen zum Tränen bringt. Staub aus Verbrennungsprozessen dringt tief in die Lunge und kann dort sehr viele verschiedene Krankheiten hervorrufen.
Moderatorin:	Mich interessiert zunächst der Normalstaub – wie sieht der eigentlich aus unterm Mikroskop?
Soentgen:	Im Schlafzimmer findet man Normalstaub in großen Mengen – das ist praktisch das Zentrum der Staubentwicklung im normalen Haushalt, weil da die meisten Textilien sind, die stetig Staubpartikel absondern. Deswegen haben Sie unter den Betten jede Woche eine wahnsinnige Stauberernte, und wenn man das unter ein Elektronenmikroskop legt, sieht man einerseits die Haare und Hautschuppen, aber auch Baumwollfasern, die sehen aus wie eingedrehte Blätter. Und natürlich alles Mögliche an kleinen Salzkristallen, Pollenkörnern, Insektenbeinen. In dieser Umgebung fühlen sich Staubmilben besonders wohl und die sind es auch, die eine Vielzahl an allergischen Reaktionen hervorrufen. Um ihre Population gering zu halten, sollte man regelmäßig seine Bettwäsche wechseln und die Matratze staubsaugen.
Moderatorin:	Wie lesen Sie Staub?
Soentgen:	Im Staub kann man viel lesen, man kann sogar bei mikroskopischen Rußpartikeln sehen, wo sie herkommen. Mit einer chemischen Analyse kann man bestimmen, ob sie aus dem Holzofen oder aus einem Dieselmotor kommen – oder aus der Industrie vielleicht. Aber interessant ist natürlich auch, was man im Hausstaub lesen kann, das ist das Fachgebiet der Kriminologen und Spurensicherer. Die haben sogenannte Partikel-Atlanten und da ist dann jedes Haar von irgendeinem noch so exotischen Tier genauso verzeichnet wie jedes Krümelchen. Aus dem Staub, den sie an irgendeinem Tatort mitgenommen haben, können die sehen, wer da gelebt hat und was vielleicht ungewöhnlich daran ist.
Moderatorin:	Was kann denn Staub eigentlich – wenn man jetzt mal den guten nimmt – zum Beispiel mit dem Licht machen?
Soentgen:	Wenn man in einer sehr sauberen Umgebung ist, dann denkt man sich vielleicht, die Welt ohne Staub wäre die beste aller möglichen Welten, das ist aber nicht so. Wir denken ja bei Staub meistens nur an die Wollmaus unterm Bett. Aber der wahre Staub ist ja der, der sich unter freiem Himmel bildet. Das ist eben, womit wir begonnen haben – der kosmische Staub. Den kann man unter sehr guten Lichtbedingungen sehen, und zwar wenn es total dunkel ist. Dann sieht man das sogenannte Zodiakallicht, eine Art Lichtdom und das ist sozusagen der Staub aus dem sich die Erde gebildet hat. Und solche schönen Staubphänomene sehen wir eigentlich fast jeden Tag, also jede Nacht: Sternschnuppen, d. h. Reststaub vom Kometen, und abends oder morgens sieht man das Abendrot, das ist auch ein Staubphänomen. Das würde es nicht geben, wenn nicht die ganze Erde permanent ein bisschen staubt.
Moderatorin:	Gehen wir mal zum Menschen über – gibt es die persönliche Staubwolke, an der man den Einzelnen erkennen kann?

Soentgen:	Ja, also Menschen sind sehr deutliche Staubquellen. Wenn wir zum Beispiel in Omnibussen Staub messen wollen – uns geht es dann meistens um den Motorenstaub –, dann schlagen unsere Instrumente doch wahnsinnig aus und es wird praktisch unmessbar, weil jeder Mensch eine unsichtbare Staubwolke, die personal cloud, also persönliche Wolke mit sich rumschleppt. Um diese genau messen zu können, müsste man einen Menschen von anderen Staubquellen isolieren. Am einfachsten ist zu erkennen, ob jemand raucht oder nicht. Also Raucher haben einfach wesentlich mehr Partikel, die um sie herum schwärmen, und wir haben sehr feine Messgeräte und wenn wir damit eben an den Raucher rangehen – der braucht gar keine Zigarette zu rauchen, auch wenn die letzte irgendwie ein paar Stunden zurückliegt, können wir das noch sehr deutlich merken. Das sind ja die Rauchpartikel und die kommen in die Lunge rein, der Staub dagegen ist was sehr Träges, Langsames und das atmet man dann noch stundenlang aus.
Moderatorin:	Grober Staub, feiner Staub, ultrafeiner Staub – können Sie eigentlich noch unbefangen atmen, Herr Soentgen?
Soentgen:	Ja, doch, also mir macht es nichts aus. Es ist natürlich schon so, dass man – wenn man sich mit Staub beschäftigt – gewisse Situationen meidet, eben Autoverkehr oder als Radfahrer andere Strecken fährt, aber ich atme dieselbe Luft wie Sie und da hilft es mir auch nichts, wenn ich besonders viel über den Staub weiß.
Moderatorin:	Vielen Dank, Herr Soentgen. Das war sehr interessant ...
Soentgen:	Gerne.

Sie hören jetzt das Gespräch noch einmal.

[Gespräch wiederholen]
[Pause: 5 Sekunden]
Ende Hören Aufgabe/Teil 3

Sie haben jetzt drei Minuten Zeit, um Ihre Lösungen auf den Antwortbogen zu übertragen.

[Pause: 3 Minuten]
♪ [Gong]
Ende des Moduls Hören.

Antwortbogen Lesen

Teil 1

1	a	b	c	d	**6**	a	b	c	d
2	a	b	c	d	**7**	a	b	c	d
3	a	b	c	d	**8**	a	b	c	d
4	a	b	c	d	**9**	a	b	c	d
5	a	b	c	d	**10**	a	b	c	d

Punkte Aufg. 1 (max. 10): ☐☐ **x 4 =** ☐☐ / 40

Teil 2

11	a	b	c	d	e	f	g	h
12	a	b	c	d	e	f	g	h
13	a	b	c	d	e	f	g	h
14	a	b	c	d	e	f	g	h
15	a	b	c	d	e	f	g	h
16	a	b	c	d	e	f	g	h

Punkte Aufg. 2 (max. 6): ☐ **x 3 =** ☐☐ / 18

Teil 3

17	a	b	c	d	e	f	g	h
18	a	b	c	d	e	f	g	h
19	a	b	c	d	e	f	g	h
20	a	b	c	d	e	f	g	h
21	a	b	c	d	e	f	g	h
22	a	b	c	d	e	f	g	h

Punkte Aufg. 3 (max. 6): ☐ **x 3 =** ☐☐ / 18

Teil 4

23	a	b	c	d	**27**	a	b	c	d
24	a	b	c	d	**28**	a	b	c	d
25	a	b	c	d	**29**	a	b	c	d
26	a	b	c	d	**30**	a	b	c	d

Punkte Aufg. 4 (max. 8): ☐ **x 3 =** ☐☐ / 24

Ergebnis Lesen: ☐☐☐ / 100
Aufgaben 1–4

Antwortbogen Hören

Teil 1

	ja	nein		ja	nein		ja	nein
1			7			13		
2			8			14		
3			9			15		
4			10					
5			11					
6			12					

Punkte Aufg. 1 (max. 15): ☐☐ x 2 = ☐☐ / 30

Teil 2

	Person 1	Person 2	beide
16			
17			
18			
19			
20			

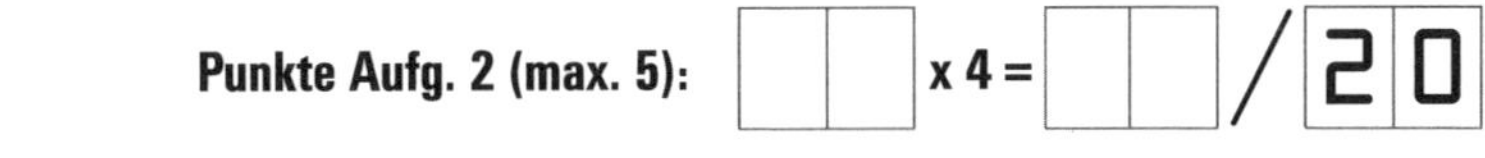

Punkte Aufg. 2 (max. 5): ☐☐ x 4 = ☐☐ / 20

Teil 3

21	a ☐	b ☐	c ☐	d ☐
22	a ☐	b ☐	c ☐	d ☐
23	a ☐	b ☐	c ☐	d ☐
24	a ☐	b ☐	c ☐	d ☐
25	a ☐	b ☐	c ☐	d ☐
26	a ☐	b ☐	c ☐	d ☐
27	a ☐	b ☐	c ☐	d ☐
28	a ☐	b ☐	c ☐	d ☐
29	a ☐	b ☐	c ☐	d ☐
30	a ☐	b ☐	c ☐	d ☐

Punkte Aufg. 3 (max. 10): ☐☐ x 5 = ☐☐ / 50

Ergebnis Hören: ☐☐☐ / 100
Aufgaben1–3

Antwortbogen Schreiben

Teil 1

1 ______

2 ______

3 ______

4 ______

5 ______

6 ______

7 ______

8 ______

9 ______

10 ______

Punkte Aufg. 1 (max. 10): ☐☐,☐ x 2 = ☐☐ / 20